Introdução

O sucesso, mais do que qualquer outra coisa no mundo, exige que você pague um preço por ele. Não é algo que você consiga obter e sustentar apenas com sorte. Ele exige seu empenho e seu comprometimento. Se você fizer apenas o mínimo possível, vai ser mais difícil, ou até impossível alcançar e manter o sucesso.

Para mim, isso se aplica às conquistas em várias áreas da vida: nos estudos, no trabalho, no cuidado com o corpo, nos relacionamentos afetivos, nas finanças... Tudo o que eu fiz e faço exige dedicação total para que eu consiga ter sucesso. Com você vai ser igual. Para uns, pode ser mais fácil que para outros, mas todo mundo vai precisar se empenhar.

Imagine que Michael Jordan, a grande estrela do basquete americano, não foi escolhido para o time do colégio! Quando ele viu a lista sem seu nome, ficou obviamente muito abalado. Depois de chorar trancado no quarto, ele decidiu que faria de tudo para conseguir entrar na lista. Então, cada vez que se cansava durante um treino, ele se lembrava da lista e, em vez de parar, treinava ainda mais. O resultado disso, a gente já conhece.

O meu objetivo aqui é exatamente este: te ajudar a atingir suas metas na área financeira. Ao longo do ano, você vai encontrar exercícios para te ajudar a estruturar as suas finanças de maneira a garantir a sua liberdade financeira. Acredito que todo esse aprendizado poderá ainda ser aproveitado em outras áreas da sua vida.

Antes de começar, gosto sempre de deixar claro o que significa *liberdade financeira* (e por que prefiro usar esse termo a *independência financeira*). Todo mundo depende do dinheiro, mesmo quem é muito rico. A diferença está na liberdade que investimentos bem-feitos e uma reserva suficiente de recursos te dão para tocar sua vida com mais tranquilidade.

Nestas 52 semanas em que usaremos o *Método financeiro do Primo Rico*, falaremos do seu dinheiro e de como melhorar a forma como você lida com ele. Eu não tenho dúvida de que você pode alcançar a liberdade financeira, desde que se empenhe e estude para entender um pouco (ou um pouco mais do que você já sabe) sobre finanças e, ao mesmo tempo, abandone uma série de preceitos que estão bloqueando o seu processo de enriquecimento.

Eu e você fomos programados para acreditar que a riqueza é para poucos e fruto de muito esforço e sorte, e não de mérito. Isso não é necessariamente verdade.

Primeiro, quero deixar claro que, para que você consiga realmente alcançar esse sucesso e enriquecer, será preciso fazer muitas mudanças na sua vida. Será necessário poupar dinheiro, cortar gastos que te dão prazer imediato, construir novos e difíceis hábitos, criar novas metas. Não serão metas simples, mas as ferramentas que ofereço neste livro interativo farão com que elas sejam factíveis e alcançáveis em um prazo razoável.

O processo de enriquecimento é uma corrida. Não uma corrida de 100 metros, como muitos pensam. É uma maratona, mas com final feliz. Numa corrida longa, mais importante que correr rápido até a linha de chegada é ter fôlego suficiente para dar o próximo passo e, pouco a pouco, chegar mais perto do objetivo. O foco pessoal em atingir suas metas é o que vai te fazer aguentar as câimbras que podem surgir quando ainda faltar metade do trajeto.

Você está começando essa maratona com força, mas vai se sentir ainda mais forte quando cruzar a linha de chegada e atingir seus objetivos. Só de pensar nisso, eu já fico muito animado, e espero que você também esteja.

Para te ajudar a manter o fôlego, criei este livro: um guia completo não apenas para dar o seu primeiro passo para começar a guardar ou cuidar melhor do seu dinheiro, mas também para que você consiga seguir na direção correta para ser independente financeiramente. A liberdade financeira é um bem muito precioso que vai te ajudar e também beneficiar as pessoas que te cercam, seja no bem-estar que você pode oferecer para a sua família, seja na inspiração que você pode ser para os seus amigos.

O *Método financeiro do Primo Rico* deve ser encarado como um GPS. Esse tipo de ferramenta geralmente te mostra vários caminhos que podem te levar do ponto onde você está agora até o seu destino. Mas o que eu vou te oferecer aqui é uma proposta de caminho estruturado e eficiente para chegar lá. Não parece uma boa?

Neste livro eu te ensino a fazer o que aprendi com muito esforço. Vou te mostrar como gastar bem, investir melhor e ganhar mais. Esse é o tripé conceitual que vai te ajudar a dar os primeiros passos e a formar uma base sólida que você vai poder carregar para o resto da vida. E meu objetivo é te ajudar a fazer isso com inteligência a partir de informações adequadas e robustas. Feito é melhor do que perfeito.

Nas próximas páginas, você já vai encontrar um caminho com dicas, sugestões e exercícios que vão te dar a possibilidade de seguir, a partir de agora, uma estratégia para melhorar a sua vida.

Está pronto para começar? Respire fundo, arregace as mangas e siga em frente!

Boa jornada rumo ao seu sucesso financeiro!

Você está começando essa maratona com força, mas vai se sentir ainda mais forte quando cruzar a linha de chegada e atingir seus objetivos.

Ganhar mais > Gastar bem > Investir melhor >

liberdade financeira

Método financeiro do Primo Rico foi planejado para seguir a metodologia que eu desenvolvi e te ajudar a organizar suas finanças em três etapas:

> **Gastar bem**
> **Investir melhor**
> **Ganhar mais**

Como você vai usar este livro

O *Método financeiro do Primo Rico* foi criado para ser uma ferramenta fácil de usar e que te permita acompanhar os avanços nas suas finanças, de forma a te estimular a continuar melhorando.

Antes de tudo, queria deixar uma coisa clara: tudo que eu proponho aqui tem como base meu livro e minha mentoria, mas é fácil de entender mesmo que você não tenha lido *Do mil ao milhão* ou feito a mentoria. E, ainda assim, caso queira entender melhor ou algo fique confuso, na seção "Conteúdo" deste livro eu explico a minha metodologia de investimento e diversificação, que batizei de ARCA, trago detalhes sobre como escolher ativos, apresento as dúvidas mais frequentes e um glossário com os termos importantes para cada tipo de ativo.

É importante que você tenha consciência da sua situação financeira atual e tenha objetivos claros. Definir suas metas deve te ajudar a saber em que estágio a sua vida financeira está.

O *Método financeiro do Primo Rico* é um pouco diferente de algumas agendas feitas para você usar todos os dias. Eu não recomendo que você se dedique diariamente a ele: acredito que, se você usá-lo no máximo uma hora por semana, será o suficiente para avançar no seu projeto financeiro. Seu tempo vale dinheiro!

Quando você sobe uma montanha, não olha seu progresso a cada passo dado. Se fizer isso, desperdiça tempo, atenção e energia que deveriam estar sendo usados na escalada. Mas, com uma certa frequência, que você pode definir antes de começar a aventura, você checa seu desempenho para saber quanto avançou e, quem sabe, fazer ajustes no planejamento.

Você vai ver que os meses e as semanas não estão marcados com dias específicos, para que possa escolher o período que preferir para iniciar o seu ciclo de enriquecimento.

Agenda semanal
Como preencher

A parte à qual você vai se dedicar no método é o planejamento, que está dividido em duas seções. A primeira é um acompanhamento semanal. Nessa área, eu proponho que você controle semanalmente quanto ganhou e quanto gastou, se fez aportes de investimento e se recebeu dividendos, e depois some todos os valores do mês, que você vai carregar para o balanço anual.

Ganhos:
Anote tudo o que você tiver recebido na semana. Se o seu salário foi depositado, coloque naquela semana. Se não foi ainda, deixe em branco. Você também pode incluir rendas extras, como algum trabalho como *freelancer*, pagamento de aluguel de um inquilino ou o recebimento de uma dívida.

Gastos:
A regra é a mesma. Você anota tudo o que gastar. No caso das despesas pagas com cartão de crédito, você pode incluir todo o consumo acumulado na semana ou apenas marcar o valor total da fatura na semana do vencimento. O importante é escolher um padrão e mantê-lo ao longo de todo o ano.

Aportes:
Decidiu colocar algum dinheiro nos seus investimentos naquela semana? Anote!

Dividendos:
Você pode receber dividendos de seus investimentos ao longo do mês. Neste espaço, você vai anotar o total.

FUNDO DE EMERGÊNCIA
Você já tem sua meta de fundo de emergência definida? Aqui você vai preencher como está evoluindo para alcançá-la, de 0% a 100%. Quando conseguir, essa parte estará resolvida. E parabéns, de novo!

LIBERDADE FINANCEIRA
Se você já sabe quanto precisa ter investido para garantir sua liberdade financeira, é aqui que vai acompanhar sua evolução. Tenho certeza de que, a cada pedaço que você pintar, mais encorajado a continuar reduzindo gastos, aumentando ganhos e fazendo aportes você ficará

Balanço anual
Como preencher

A segunda parte do planejamento é o balanço anual de suas finanças pessoais e de seus investimentos. Você vai precisar se dedicar a essa parte apenas uma vez por mês. Vai tomar um pouco mais de tempo que o controle semanal, mas é tudo muito simples, e, quando os gráficos estiverem totalmente preenchidos, você terá seu balanço anual bem diante dos seus olhos. Não se preocupe se suas anotações passarem dos gráficos. Se tiver sido um mês atípico e você tiver ganhado muito ou tiver feito um aporte muito maior do que o comum, ultrapasse as margens (e parabéns!).

FINANÇAS PESSOAIS
Ganhos:
Aqui você vai colocar o valor total de ganhos do mês, que será igual à soma dos números da agenda semanal.

Gastos:
Assim como para os ganhos, some tudo o que tiver gastado no mês.

Aportes:
Anote todos os aportes que tiver feito no mês.

Dividendos:
Marque toda a renda com dividendos que tiver recebido naquele mês.

INVESTIMENTOS
Ações:
Anote quanto você tem em ações na sua carteira.

Real estate (mercado imobiliário):
Anote todo o volume de investimento em ativos do mercado imobiliário.

Caixa:
Marque quanto você tem investido no que eu chamo de caixa (em títulos conservadores e de alta liquidez).

Ativos internacionais:
Registre o tamanho da sua carteira de ativos internacionais.

Outros:
Aqui você pode colocar os seus investimentos em outras classes de ativos: obras de arte e criptomoedas, por exemplo.

Veja um exemplo de algumas páginas preenchidas a seguir.

Esta é sua agenda semanal

Mês: dezembro   Ano: 2020

	semana 1	semana 2	semana 3	semana 4	semana 5	TOTAL
período	1-6	7-13	14-20	21-27	28-31	
ganhos	$1.280	—	$1.200	—	—	$2.480
gastos	$1.000	$50	$125	$140	$75	$1.390
aportes	$500	—	$500	—	—	$1.000
dividendos	$9	$12	$7	$2	$5	$35

Fundo de emergência

Meta: $9.000

Liberdade financeira

Meta: $1.500.000

> " A jornada para a liberdade financeira é possível. Trilhar esse caminho vai além da busca pelo dinheiro em si. Ele é essencial para você encontrar o equilíbrio emocional em diversos aspectos da vida. – Thiago Nigro "

COMO VOCÊ VAI USAR ESTE LIVRO

Finanças pessoais

2020

Liberdade financeira

Meta: $1.500.000

Ganho

Você pode preencher este gráfico assim...

1.000
800
600
400
200
0
-200
-400

dez. jan. fev. mar. abr. maio jun. jul. ago. set. out. nov.

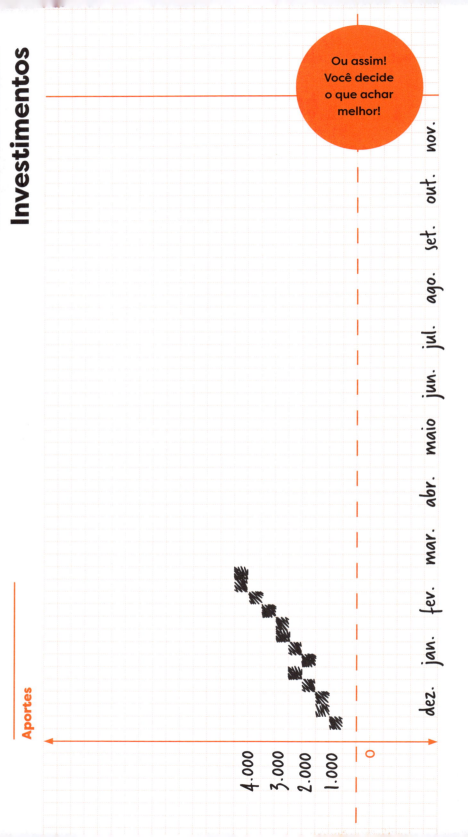

Um bom plano, executado com determinação agora, é melhor que um plano perfeito a ser realizado na semana que vem.

— George S. Patton

Autoanálise qualitativa

Também proponho que, de tempos em tempos, você faça uma autoanálise de como está se saindo. Depois das agendas semanais e mensais, este livro traz uma terceira parte a ser preenchida: a autoanálise qualitativa. Ela serve para você avaliar se está avançando nos seus objetivos.

A autoanálise está dividida em três partes, que estão subdivididas em quatro aspectos. Para cada um, você tem dez espaços para preencher como se classifica naquele quesito.

Por exemplo, na parte dos investimentos, como você está mantendo sua carteira balanceada? E seus gastos? Você está consumindo por compulsão?

Em cada um desses quesitos, você vai pintar o número de quadradinhos, de 1 a 10, indicando como avalia seu desempenho. É uma nota que você vai dar a si mesmo, somente a cada seis meses.

GASTAR BEM

1) Clareza de gastos
2) Aportes mensais
3) Impacto emocional em gastos
4) Reavaliação

INVESTIR MELHOR

1) Segurança ao investir
2) Entendimento técnico de aplicações
3) Diversificação de investimentos
4) Balanceamento

GANHAR MAIS

1) Perspectiva de crescimento
2) Estabilidade de receita
3) Novas fontes de ganhos
4) Tracei e estou seguindo minhas metas

Você melhorou em relação ao último semestre?

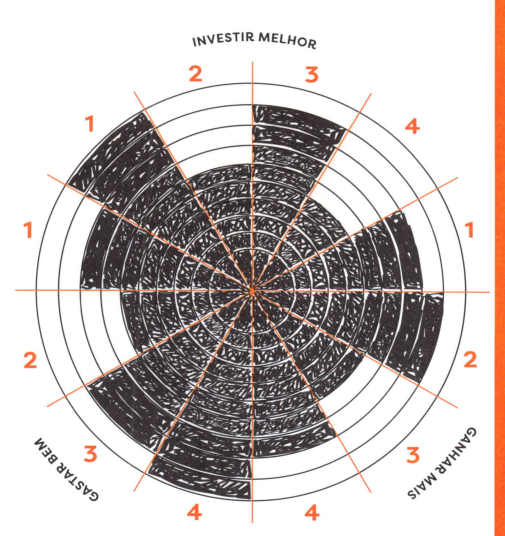

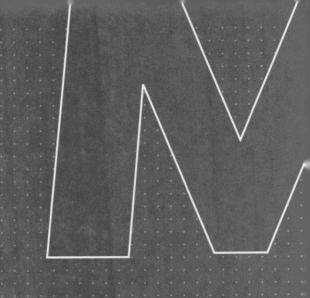

Metas

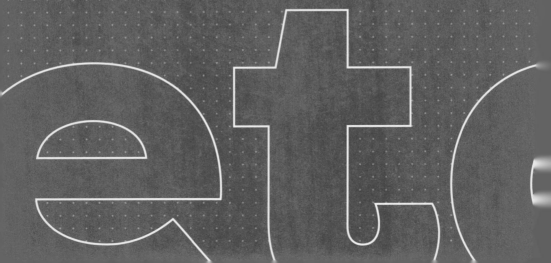

As metas são exclusivamente suas!

P roponho que você avance para a liberdade financeira passando por quatro estágios. Você pode investir tempo e dinheiro nos estágios individualmente ou ao mesmo tempo. Veja o que faz mais sentido para você e o que se encaixa nas suas atuais condições financeiras.

1) Livre-se das dívidas sujas

O primeiro passo é acabar com as dívidas sujas ou ruins. São dívidas caras e com juros altíssimos (sabemos bem que o Brasil é famoso por empréstimos a juros muito altos), que não fazem qualquer sentido e não te trazem retorno.

Estou falando de dívidas no cartão de crédito, cheque especial, financiamentos para comprar bens de que você não precisa, mas que te estrangulam todos os meses, ou uma viagem de férias que poderia esperar um pouco mais para acontecer.

Um exemplo é a compra de um segundo carro para a família, apenas por conforto e luxo, sem necessidade clara. Hoje em dia, nas maiores cidades do país, muitas pessoas estão deixando de ter carro próprio para se beneficiar dos serviços de aplicativos, cada vez mais baratos, ou até de redes de transporte público mais eficientes e abrangentes. Com isso, economizam em impostos, seguro e manutenção do automóvel. Ter *um* carro próprio já deixou de ter uma vantagem óbvia. Ter *um segundo* passou a ser questionável. E, se isso te estrangular em dívidas todos os meses, faz menos sentido ainda.

Outro exemplo que gosto de dar são as viagens, principalmente as internacionais. Claro que todo mundo quer ir para a Disney no verão, para o Nordeste no Ano-Novo, e ainda ter dinheiro para fazer algumas compras e abastecer a casa e o guarda-roupa. E, para conseguir tudo isso, financiamos a viagem, gastamos mais do que deveríamos no cartão de crédito e digerimos aquela dívida meses e meses depois das férias. A felicidade que as férias proporcionaram acaba com a primeira parcela na fatura do cartão de crédito.

Vale a pena pensar se uma mudança sutil de data não reduziria muito o custo da viagem, se fazer uma viagem doméstica não evitaria que você apertasse as finanças, ou se viajar em outra estação não te custaria muito menos, sem afetar demais o passeio. Na maioria dos lugares, há atrativos em todas as épocas do ano.

Não estou dizendo para você se livrar de todas as suas dívidas. Há dívidas inteligentes, que têm custo baixo e te dão oportunidade para aumentar seus ganhos. Uma linha de capital de giro que você usa para seu negócio, por exemplo, pode ser uma boa dívida se permitiu que você investisse e gerasse mais renda. Ou, se você trocou uma dívida suja por outra de custo muito mais baixo e reduziu sua conta de juros, esta é uma dívida inteligente.

É óbvio que não ter dívidas é bom – e uma preocupação a menos. Mas quero deixar claro que não estou sugerindo que você elimine todas elas. Olhe para as dívidas com pragmatismo e decida o que vale a pena e o que não vale. E, acima de tudo, não contraia uma dívida por impulso consumista ou sob influência dos outros. A conta sempre chega.

Dívida atual

R$ _____

Quero reduzir para

R$ _____

Em _____/_____/_____

2) Construa um fundo de emergência

Tenho certeza de que você ou algum conhecido já viveu uma situação em que estava tudo bem financeiramente, as contas estavam em dia, até que algo inesperado aconteceu e, a partir de então, as dívidas se amontoaram e você nunca mais conseguiu sair do vermelho, mesmo depois de o problema ter se resolvido.

Todos nós estamos sujeitos a situações extremas. Faz parte da vida. A questão é como lidar com isso e quanto você consegue se preparar para o inesperado.

O fundo de emergência serve para você cobrir suas despesas quando tiver um evento surpresa. Com esse dinheiro, você arca com essas despesas e pode se preocupar apenas com a resolução do problema. Sem o fundo, você terá duas crises para enfrentar: a do problema, que precisará ser resolvido, e uma financeira, que terá surgido a partir do problema e pode se tornar ainda mais grave que ele.

Esses recursos podem te ajudar em diversas situações. É até difícil imaginar todas, mas vou dar alguns exemplos: a perda do emprego ou da renda, um problema de saúde seu ou na sua família que não é coberto totalmente pelo plano de saúde ou um conserto repentino da casa ou do carro.

O fundo de emergência deve ser suficiente para cobrir seis meses de suas despesas regulares mensais caso você tenha um emprego fixo. Se você for autônomo e, portanto, tiver um perfil de renda mais instável, o fundo deve equivaler a doze vezes os seus gastos mensais.

Meu custo de vida mensal é
R$

Então meu fundo de emergência ideal deve ter
R$

Para quem tem emprego fixo:

fundo de emergência = custo mensal × 6

Para quem é autônomo:

fundo de emergência = custo mensal × 12

Seu fundo de emergência pode ser usado se...

- houver um problema de saúde seu ou de alguém próximo e você precisar comprar remédios e pagar tratamentos. O plano de saúde muitas vezes não cobre tudo;

- você perder seu emprego ou sua renda tiver uma queda expressiva;

- suas férias custarem mais do que o planejado ou se os gastos em datas comemorativas como Natal e aniversários se acumularem com as despesas do mês;

- você tiver um acidente de carro e precisar pagar o conserto;

- sua casa precisar de um reparo emergencial;

- um familiar ou um amigo precisar de ajuda;

- os impostos ou a lista de material escolar chegarem no começo do ano.

3) Invista na sua liberdade financeira

A liberdade financeira é o dinheiro que você tem investido e trabalha para você: ele se multiplica, ao longo dos anos, para que você tenha uma qualidade de vida maior e para que se aposente com tranquilidade.

Há uma diferença importante entre liberdade e independência financeira. Liberdade é ter dinheiro em volume suficiente e investido adequadamente para te render ganhos todos os meses, sem que você precise fazer nada. Independência financeira, na verdade, não existe para muitos. Isso porque todos que vivem em sociedade, com exceção de algumas tribos e comunidades isoladas, dependem do dinheiro de alguma forma. Não somos independentes do dinheiro. E certamente você, que está lendo este livro, nunca será.

Depois que você constituir seu fundo de emergência, poderá focar sua liberdade financeira. O primeiro passo é definir

exemplo

Quero me aposentar com uma renda de:

R$ 5.000,00

Para isso, precisarei ter acumulado:

R$ 1.527.300,00

sua vez...

Quero me aposentar com uma renda de:

Para isso, precisarei ter acumulado:

que renda você quer ter quando se aposentar. Depois, quanto vai precisar ter investido para poder gerar essa renda. E, por fim, quanto precisará guardar todos os meses e quanto seus investimentos têm que render para você garantir que vai ter essa liquidez lá no futuro.

Você também vai precisar ter em mente quantos anos ainda pretende trabalhar e fazer esses aportes. Talvez você ainda tenha algumas décadas – e eu espero que esteja planejando isso com bastante antecedência para que a tarefa não se torne tão árdua.

Para te ajudar nisso, preparei uma tabela que indica os valores de investimento e a renda, de acordo com faixas de rentabilidade. Essa tabela está na página 189.

Ao longo de:

20 anos

A um rendimento anual de:

10%

Eu conseguirei isso se fizer aportes mensais de:

R$ 2.126,00

Ao longo de:

Eu conseguirei isso se fizer aportes mensais de:

A um rendimento anual de:

4) Poupe pelo menos 10% de sua renda

A equação Receita – Poupança – Gastos deve nortear seu planejamento e suas decisões financeiras ao longo de toda a sua vida.

Isso porque você precisa poupar alguma quantia. Você deveria investir pelo menos 10% de sua renda mensal, mas, se conseguir investir mais, vai ser melhor ainda. E, quanto mais conseguir, mais rápido vai atingir os seus objetivos e mais ambiciosos eles podem ser. Guardar 30% seria o ideal.

Para atingir esses percentuais, você talvez tenha que fazer ajustes nos seus gastos. Ninguém deveria gastar sem pensar, porque isso tira dinheiro do seu futuro. Não estou falando em viver sem nenhum prazer ou diversão. Devemos aproveitar o presente, mas com equilíbrio e sem pôr em risco nosso futuro. Por isso, sugiro que você pense se não está gastando mais do que deveria em alguma atividade ou produto.

Além disso, é preciso pensar em possibilidades de aumentar sua renda. Uma segunda atividade ou um emprego que te pague um salário maior, por exemplo, podem te ajudar a atingir percentuais mais altos de poupança. Ficar estagnado e não buscar crescimento de renda é, em última instância, jogar dinheiro fora.

Minha renda atual é de

R$ _____

Hoje eu economizo

R$ _____

ou

_____

% da minha renda

METAS

10%

Para poupar 10%, eu preciso economizar

R$ _____ por mês

30%

Para poupar 30%, eu preciso economizar

R$ _____ por mês

pla
ment

Mês:

Ano:

	semana 1	semana 2	semana 3	semana 4	semana 5	TOTAL
período						
ganhos						
gastos						
aportes						
dividendos						

Fundo de emergência

0	10	20	30	40	50	60	70	80	90	100

Meta:

Liberdade financeira

0	10	20	30	40	50	60	70	80	90	100

Meta:

> **Reze como se tudo dependesse de Deus, mas trabalhe como se tudo dependesse de você. – Dave Ramsey**

PLANEJAMENTO

Mês:

Ano:

	semana 1	semana 2	semana 3	semana 4	semana 5	TOTAL
período						
ganhos						
gastos						
aportes						
dividendos						

Fundo de emergência

Meta:

Liberdade financeira

Meta:

> **O investimento mais importante que você pode fazer é o investimento em você mesmo. – Warren Buffett**

	semana 1	semana 2	semana 3	semana 4	semana 5	TOTAL
período						
ganhos						
gastos						
aportes						
dividendos						

Mês:

Ano:

Fundo de emergência

0	10	20	30	40	50	60	70	80	90	100

Meta:

Liberdade financeira

0	10	20	30	40	50	60	70	80	90	100

Meta:

> **O gasto essencial é aquele que, muitas vezes, não pode ser reduzido de um mês para outro ou que é quase impossível eliminar no curto prazo. Mas isso não quer dizer que, com tempo e preparo, ele não possa ser reavaliado e passe a ser menor. – Thiago Nigro**

PLANEJAMENTO

Mês: _____   Ano: _____

	semana 1	semana 2	semana 3	semana 4	semana 5	TOTAL
período						
ganhos						
gastos						
aportes						
dividendos						

Fundo de emergência

Meta: _____

Liberdade financeira

Meta: _____

> **A maioria dos brasileiros cresceu sem educação financeira. Qualquer pessoa pode alcançar a riqueza estudando, entendendo o básico de finanças e deixando para trás uma série de preceitos. Vire este jogo! – Thiago Nigro**

Mês:

Ano:

	semana 1	semana 2	semana 3	semana 4	semana 5	TOTAL
período						
ganhos						
gastos						
aportes						
dividendos						

Fundo de emergência

0	10	20	30	40	50	60	70	80	90	100

Meta:

Liberdade financeira

0	10	20	30	40	50	60	70	80	90	100

Meta:

> **Não existe um momento ideal para começar a guardar dinheiro. Quanto mais cedo, melhor. – Thiago Nigro**

PLANEJAMENTO

Mês: **Ano:**

	semana 1	semana 2	semana 3	semana 4	semana 5	TOTAL
período						
ganhos						
gastos						
aportes						
dividendos						

Fundo de emergência

Meta:

Liberdade financeira

Meta:

> **O fator determinante para ficar rico é começar, e não ser a pessoa mais esperta do grupo. – Ramit Sethi**

GASTAR BEM
1) Clareza de gastos
2) Aportes mensais
3) Impacto emocional em gastos
4) Reavaliação

INVESTIR MELHOR
1) Segurança ao investir
2) Entendimento técnico de aplicações
3) Diversificação de investimentos
4) Balanceamento

GANHAR MAIS
1) Perspectiva de crescimento
2) Estabilidade de receita
3) Novas fontes de ganhos
4) Tracei e estou seguindo minhas metas

Você melhorou em relação ao último semestre?

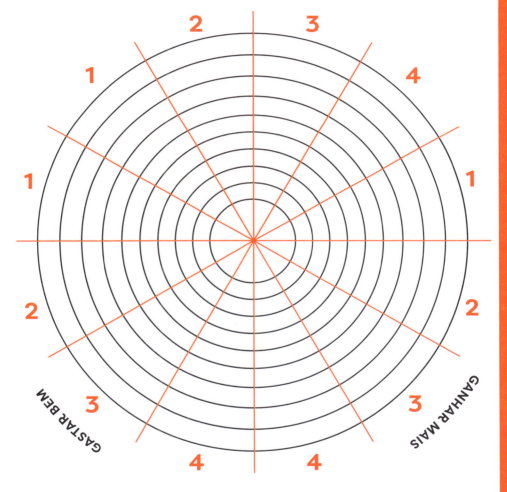

Mês:

Ano:

	semana 1	semana 2	semana 3	semana 4	semana 5	TOTAL
período						
ganhos						
gastos						
aportes						
dividendos						

Fundo de emergência

Meta:

Liberdade financeira

Meta:

> **O importante não é onde você começa, mas sim as decisões que toma sobre o lugar que está determinado a alcançar. – Anthony Robbins**

PLANEJAMENTO

Mês: **Ano:**

	semana 1	semana 2	semana 3	semana 4	semana 5	TOTAL
período						
ganhos						
gastos						
aportes						
dividendos						

Fundo de emergência

Meta:

Liberdade financeira

Meta:

> **O mais importante a fazer quando você estiver num buraco é parar de cavar. – Warren Buffett**

Mês:

Ano:

	semana 1	semana 2	semana 3	semana 4	semana 5	TOTAL
período						
ganhos						
gastos						
aportes						
dividendos						

Fundo de emergência

Meta:

Liberdade financeira

Meta:

> **Alguém está sentado a uma sombra hoje porque outra pessoa plantou uma árvore muito tempo atrás. – Warren Buffett**

PLANEJAMENTO

Mês:

Ano:

	semana 1	semana 2	semana 3	semana 4	semana 5	TOTAL
período						
ganhos						
gastos						
aportes						
dividendos						

Fundo de emergência

Meta:

Liberdade financeira

Meta:

> **Muitos vivem antecipando sonhos e acabam não desfrutando deles no momento correto e, o que é mais importante, com total tranquilidade. Gastar é bom, mas gastar quando se tem dinheiro é muito melhor. – Thiago Nigro**

Mês: | **Ano:**

	semana 1	semana 2	semana 3	semana 4	semana 5	TOTAL
período						
ganhos						
gastos						
aportes						
dividendos						

Fundo de emergência

Meta:

Liberdade financeira

Meta:

> **Em vinte anos, você se sentirá mais decepcionado pelas coisas que não fez do que por aquilo que fez. Por isso, levante suas âncoras, saia do porto seguro e abra suas velas ao vento. Explore, sonhe, descubra. – Mark Twain**

PLANEJAMENTO

Mês: **Ano:**

	semana 1	semana 2	semana 3	semana 4	semana 5	TOTAL
período						
ganhos						
gastos						
aportes						
dividendos						

Fundo de emergência

Liberdade financeira

Meta:

Meta:

> **Aqueles que desejam liderar os outros devem antes aprender a liderar a si mesmos. – Peter Drucker**

GASTAR BEM
1) Clareza de gastos
2) Aportes mensais
3) Impacto emocional em gastos
4) Reavaliação

INVESTIR MELHOR
1) Segurança ao investir
2) Entendimento técnico de aplicações
3) Diversificação de investimentos
4) Balanceamento

GANHAR MAIS
1) Perspectiva de crescimento
2) Estabilidade de receita
3) Novas fontes de ganhos
4) Tracei e estou seguindo minhas metas

Você melhorou em relação ao último semestre?

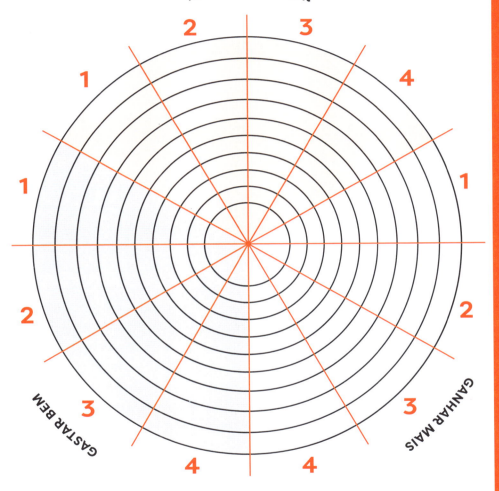

Mês:

Ano:

	semana 1	semana 2	semana 3	semana 4	semana 5	TOTAL
período						
ganhos						
gastos						
aportes						
dividendos						

Fundo de emergência

Meta:

Liberdade financeira

Meta:

> **Nenhuma trajetória é 100% livre de falhas. E é nos deslizes que temos a grande chance de encontrar o caminho correto, aparando arestas e corrigindo rotas. – Thiago Nigro**

Mês: Ano:

PLANEJAMENTO

	semana 1	semana 2	semana 3	semana 4	semana 5	TOTAL
período						
ganhos						
gastos						
aportes						
dividendos						

Fundo de emergência

Meta:

Liberdade financeira

Meta:

> O risco está em não saber o que você está fazendo. – **Warren Buffett**

Mês: **Ano:**

	semana 1	semana 2	semana 3	semana 4	semana 5	TOTAL
período						
ganhos						
gastos						
aportes						
dividendos						

Fundo de emergência

0	10	20	30	40	50	60	70	80	90	100

Meta:

Liberdade financeira

0	10	20	30	40	50	60	70	80	90	100

Meta:

> **Traçar objetivos alcançáveis e superá-los um a um torna a jornada muito mais produtiva e faz com que novos hábitos sejam criados e tenham mais chances de se tornarem parte da rotina. – Thiago Nigro**

PLANEJAMENTO

Mês: Ano:

	semana 1	semana 2	semana 3	semana 4	semana 5	TOTAL
período						
ganhos						
gastos						
aportes						
dividendos						

Fundo de emergência

Meta:

Liberdade financeira

Meta:

> **Os três piores vícios são a heroína, carboidratos e o salário mensal.**
> **– Nassim Nicholas Taleb**

Mês:

Ano:

	semana 1	semana 2	semana 3	semana 4	semana 5	TOTAL
período						
ganhos						
gastos						
aportes						
dividendos						

Fundo de emergência

0	10	20	30	40	50	60	70	80	90	100

Meta:

Liberdade financeira

0	10	20	30	40	50	60	70	80	90	100

Meta:

> **Você tem que encarar todo obstáculo como oportunidade e benefício. – Suze Orman**

PLANEJAMENTO

| Mês: | | | | | Ano: |

	semana 1	semana 2	semana 3	semana 4	semana 5	TOTAL
período						
ganhos						
gastos						
aportes						
dividendos						

Fundo de emergência

Meta:

Liberdade financeira

Meta:

> " Perder um trem só é algo doloroso se você tiver que correr atrás dele. Da mesma forma, não alcançar o sucesso que outros idealizaram para nós mesmos só é dolorido se isso for o que estamos procurando. – **Nassim Nicholas Taleb** "

GASTAR BEM

1) Clareza de gastos
2) Aportes mensais
3) Impacto emocional em gastos
4) Reavaliação

INVESTIR MELHOR

1) Segurança ao investir
2) Entendimento técnico de aplicações
3) Diversificação de investimentos
4) Balanceamento

GANHAR MAIS

1) Perspectiva de crescimento
2) Estabilidade de receita
3) Novas fontes de ganhos
4) Tracei e estou seguindo minhas metas

Você melhorou em relação ao último semestre?

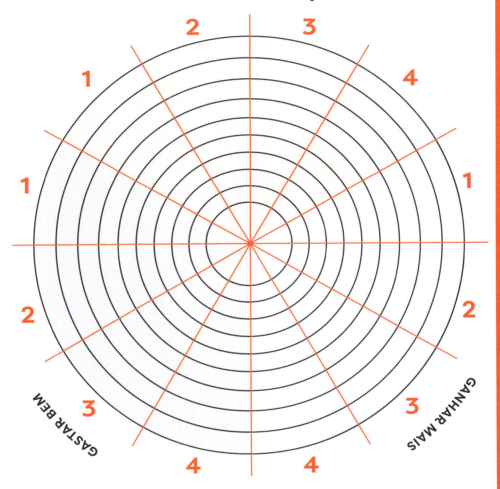

	semana 1	semana 2	semana 3	semana 4	semana 5	TOTAL
período						
ganhos						
gastos						
aportes						
dividendos						

Mês: **Ano:**

Fundo de emergência

| 0 | 10 | 20 | 30 | 40 | 50 | 60 | 70 | 80 | 90 | 100 |

Meta:

Liberdade financeira

| 0 | 10 | 20 | 30 | 40 | 50 | 60 | 70 | 80 | 90 | 100 |

Meta:

> **Pensar com cuidado os gastos e planejar as finanças para o futuro – mesmo que no curto prazo – não pode ser dissociado de nossa felicidade e de nossa tranquilidade emocional. – Thiago Nigro**

PLANEJAMENTO

Mês:

Ano:

	semana 1	semana 2	semana 3	semana 4	semana 5	TOTAL
período						
ganhos						
gastos						
aportes						
dividendos						

Fundo de emergência

Meta:

Liberdade financeira

Meta:

> **Trilhar o caminho rumo à independência financeira não se trata apenas de ganância ou amor excessivo por dinheiro. Diferentemente disso, pode ser essencial para encontrar equilíbrio emocional em diversos aspectos da vida. – Warren Buffett**

Mês: **Ano:**

	semana 1	semana 2	semana 3	semana 4	semana 5	TOTAL
período						
ganhos						
gastos						
aportes						
dividendos						

Fundo de emergência

0	10	20	30	40	50	60	70	80	90	100

Meta:

Liberdade financeira

0	10	20	30	40	50	60	70	80	90	100

Meta:

> **Anote gastos somente se for analisar a necessidade deles, senão é perda de tempo. – Thiago Nigro**

PLANEJAMENTO

Mês: **Ano:**

	semana 1	semana 2	semana 3	semana 4	semana 5	TOTAL
período						
ganhos						
gastos						
aportes						
dividendos						

Fundo de emergência

Meta:

Liberdade financeira

Meta:

> **Guardar dinheiro para um imprevisto vai fazer você se sentir menos estressado, mais no controle de suas finanças e mais feliz de maneira geral. Vale a pena economizar para isso!**
> **– Niki Brantmark**

Mês: Ano:

	semana 1	semana 2	semana 3	semana 4	semana 5	TOTAL
período						
ganhos						
gastos						
aportes						
dividendos						

Fundo de emergência

| 10 | 20 | 30 | 40 | 50 | 60 | 70 | 80 | 90 | 100 |

Meta:

Liberdade financeira

| 10 | 20 | 30 | 40 | 50 | 60 | 70 | 80 | 90 | 100 |

Meta:

> " O essencial nem sempre é essencial. – **Thiago Nigro** "

PLANEJAMENTO

Mês: **Ano:**

	semana 1	semana 2	semana 3	semana 4	semana 5	TOTAL
período						
ganhos						
gastos						
aportes						
dividendos						

Fundo de emergência

Meta:

Liberdade financeira

Meta:

> **Primeiro as pessoas, depois o dinheiro, depois as coisas. – Suze Orman**

GASTAR BEM
1) Clareza de gastos
2) Aportes mensais
3) Impacto emocional em gastos
4) Reavaliação

INVESTIR MELHOR
1) Segurança ao investir
2) Entendimento técnico de aplicações
3) Diversificação de investimentos
4) Balanceamento

GANHAR MAIS
1) Perspectiva de crescimento
2) Estabilidade de receita
3) Novas fontes de ganhos
4) Tracei e estou seguindo minhas metas

Você melhorou em relação ao último semestre?

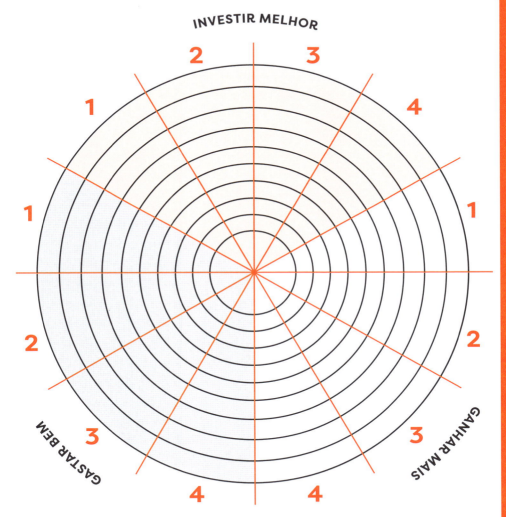

Finanças pessoais

Ganhos Tudo o que você recebeu no mês.

0

Gastos A soma de tudo o que você gastou no mês.

PLANEJAMENTO

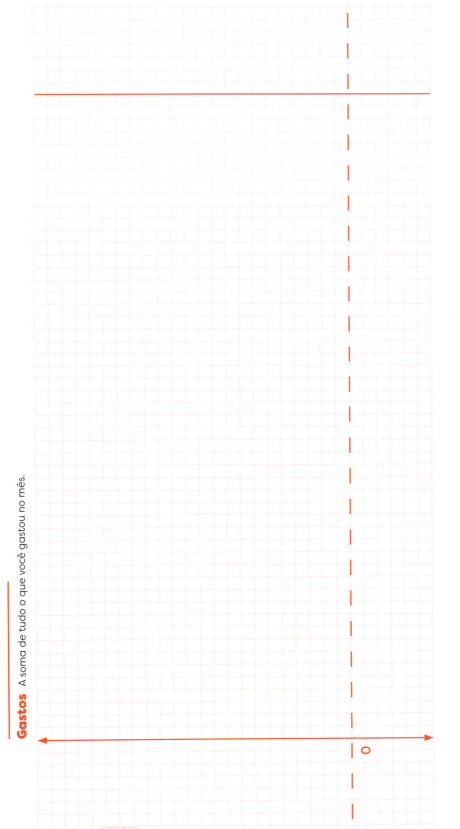

Investimentos

Aportes Dinheiro investido ao longo do mês.

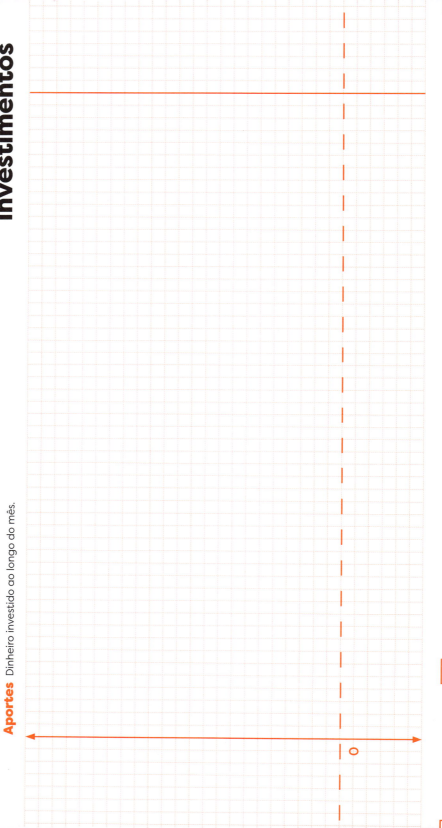

PLANEJAMENTO

Dividendos Resultado dos seus investimentos ao longo do mês.

0

Investimentos

Ações Quanto você tem em ações na sua carteira.

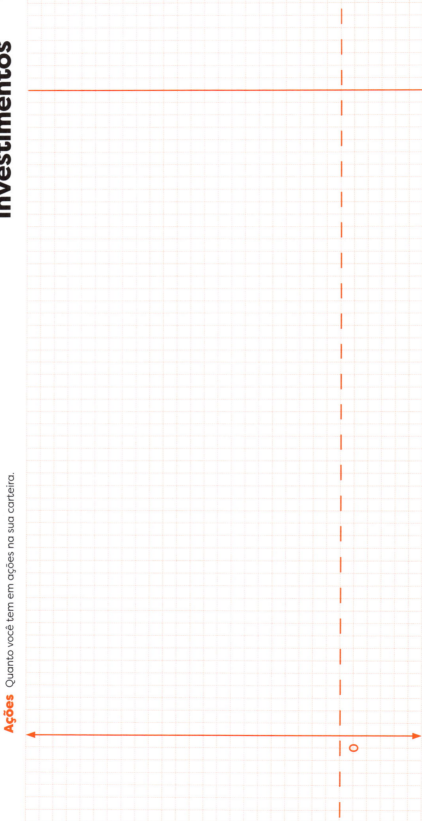

Real estate Volume de investimento em ativos do mercado imobiliário.

0

Investimentos

Caixa Investimentos em títulos conservadores e de alta liquidez.

PLANEJAMENTO

Internacional Registre o tamanho da sua carteira de ativos internacionais.

0

Investimentos

Outros

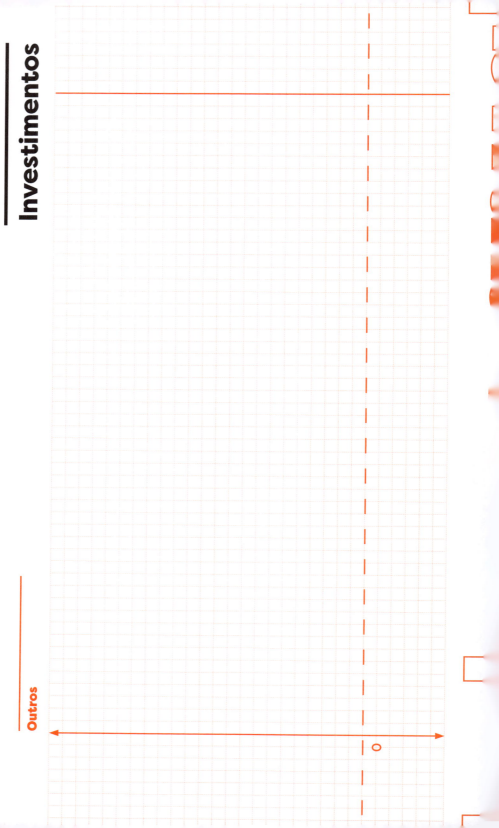

Liberdade financeira

Meta:

Total

0

> No final do livro, deixamos várias páginas extras para você usar caso necessário.

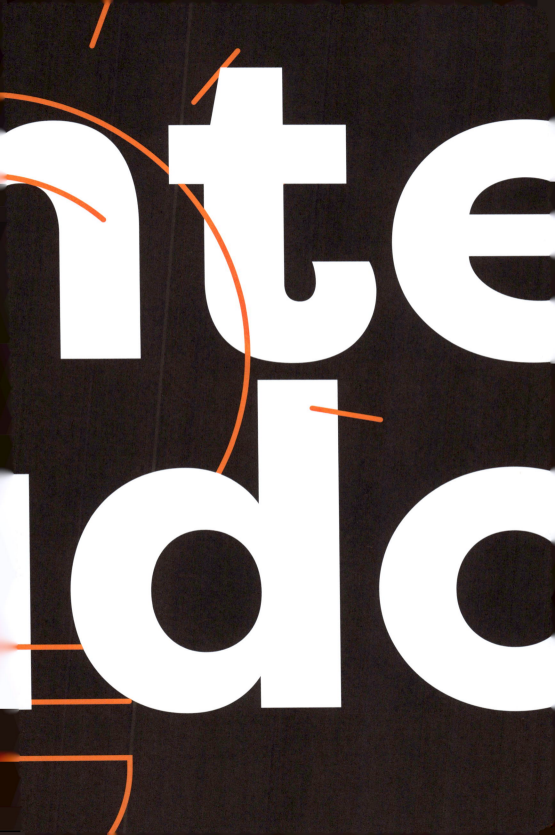

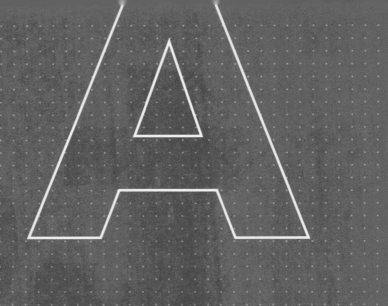

A ARCA

É mais fácil atingir objetivos quando você tem um método

Para qualquer investidor, iniciante ou experiente, a estratégia de alocação de recursos tem que seguir algum método.

Você até pode escolher uma classe de ativos hoje, mudar para outra amanhã e diversificar para novas daqui a seis meses sem ter planejado. Não é proibido fazer isso, e você pode até sair ganhando algumas vezes, mas a falta de uma estratégia definida te coloca em uma situação muito mais vulnerável. Isso sem mencionar que vai exigir um esforço e uma dedicação muito maiores para que você esteja atento às possibilidades e remaneje alocações frequentemente.

Foi por causa desse cenário (complexo) que eu criei a minha metodologia, que batizei de ARCA. O método funciona como uma forma mais simplificada de olhar o mercado, e isso vai te ajudar a atingir seus objetivos de maneira mais fácil e a ficar menos suscetível aos inevitáveis altos e baixos do mercado.

A ARCA é uma metodologia que eu sigo para o investimento do meu próprio dinheiro. Ela traz diversificação, proteção cambial e liquidez variada. É simples, fácil de entender e fácil de executar. E eu conto publicamente como ela funciona porque acredito que as pessoas precisam se inspirar no que os outros *fazem*, e não no que eles *dizem*.

Como a ARCA funciona?

Com a ARCA, proponho que você distribua todos os seus investimentos igualmente entre quatro categorias e mantenha esse balanceamento ao longo do tempo. Dentro dessas categorias, você vai precisar escolher os ativos que achar mais atraentes.

As quatro categorias são **Ações e negócios**, **Real estate** ou **mercado imobiliário**, **Caixa** e **Ativos internacionais**.

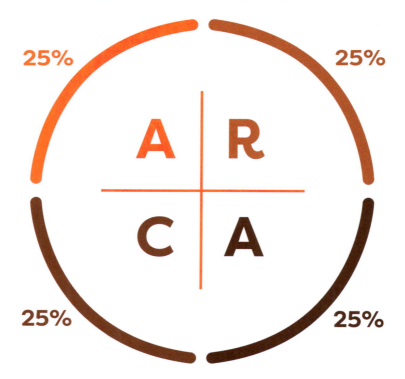

AÇÕES

O meu método propõe que você aloque uma parte do seu patrimônio em ações e negócios, ou seja, comprando ações de empresas no mercado financeiro em busca de rentabilidade e perenidade. Não há nada mais rentável que apostar em negócios: você compra uma empresa por meio de uma ação e, com isso, tem executivos trabalhando para você, buscando gerar mais dinheiro para a empresa (e, consequentemente, para você).

Como escolher o que comprar? Você vai precisar fazer o dever de casa e entender o potencial de cada ação. Também recomendo que você distribua seus recursos entre setores diferentes da economia, que não caem nem sobem ao mesmo tempo.

Bancos se beneficiam com o aumento da taxa de juros, mas o setor imobiliário é prejudicado por isso, porque casas e apartamentos são vendidos com financiamento. Empresas de geração e distribuição de energia sobem quando a tarifa de luz aumenta, mas as empresas que usam muita energia em sua produção são prejudicadas.

Se você comprar só ações de bancos, ficará dependente do desempenho deles. O mais interessante é escolher empresas de vários segmentos.

A partir daí, sugiro que você comece analisando as seguintes características:

Rentabilidade da empresa

Toda empresa, para gerar retorno ao longo do tempo, precisa manter a sua rentabilidade. Empresas que não conseguem transformar receita em lucro dificilmente conseguem gerar retorno aos seus acionistas no longo prazo (afinal, o acionista arca com o risco de todo o negócio e só recebe a sua parte quando a empresa gera lucro líquido).

Por isso, quando escolhemos uma ação, precisamos entender quais são a lucratividade e a rentabilidade do negócio do qual estamos nos tornando acionistas – pois esse fator dirá muito sobre a rentabilidade e a lucratividade que teremos ao longo do tempo.

Endividamento da empresa

Também é fator determinante saber quão saudável é o negócio em que estamos investindo.

Se a empresa por trás da ação em que queremos investir está altamente endividada, investir nela acaba se tornando um exercício de alto risco: empresas muito endividadas correm riscos maiores de quebrar.

Por isso, entender o nível de endividamento de uma empresa é determinante para sabermos se faz sentido investir nela no longo prazo – pois, aqui, entendemos se ela tem boas chances de sobreviver ao longo do tempo.

O valor da empresa

Aqui, precisamos entender o seguinte: *preço* não é *valor*. Como já dizia Warren Buffett, o maior investidor de todos os tempos: "Preço é o que você paga, valor é o que você recebe".

O ponto é que não importa o preço de uma ação. O que importa é se esse preço está muito acima ou muito abaixo do valor que essa ação pode gerar para você no futuro. E como descobrimos esse valor? Analisando a empresa e prevendo o valor que ela poderá gerar com seus negócios no futuro.

Para ter uma ideia melhor do valor, precisamos entender os indicadores financeiros da empresa (que abordaremos mais adiante, em "Como eu faço para avaliar todas essas categorias?").

O crescimento que a empresa vem registrando e o potencial dela

Aqui, metrificamos o crescimento que a empresa teve até hoje e como ela continuará crescendo daqui para a frente. É hora de olhar a perspectiva futura: a rentabilidade da empresa irá aumentar daqui em diante? O endividamento irá diminuir? Como se espera que a empresa conquiste mais participação no mercado em que ela está inserida?

Essas perguntas são importantes porque, hoje, o mercado financeiro trabalha justamente com expectativas futuras e crescimentos futuros. Até empresas que registraram prejuízos ao longo do tempo podem ser bons investimentos, desde que tenham uma promessa sólida de que crescerão o bastante para transformar esses prejuízos em lucros futuros.

Governança corporativa, já que não adianta investir em uma empresa com bons números, mas que comete fraudes

Por último, a governança corporativa de uma empresa é determinante para saber se o seu investimento deve ser aplicado ali ou não. Afinal de contas, não adianta uma empresa ser perfeita nos números mas não respeitar os acionistas nem ser transparente com eles. Uma boa estrutura de governança corporativa garante que as boas empresas serão boas com todos os acionistas, inclusive os menores.

Como todo negócio, quando você estiver avaliando se comprará qualquer ação, é preciso olhar os fundamentos da empresa e as perspectivas que ela tem para o futuro. Ela trabalha sobre bases sólidas, com lucratividade e endividamento compatíveis com o negócio?

Ao mesmo tempo, temos que olhar para o futuro e para o que a empresa pode nos trazer de ganhos. As projeções de crescimento são altas? Vale atentar também à rigidez dos critérios de governança corporativa. Não adianta comprar ações de uma empresa com alto potencial de crescimento, mas que comete fraudes. Em algum momento, isso vai prejudicar o desempenho daquele papel, e você pode perder dinheiro.

Como eu faço para avaliar todas essas categorias?

Alguns indicadores podem te ajudar a fazer uma primeira filtragem. Escolha algumas empresas de um mesmo setor e compare-as entre si. A partir daí, você já vai ter uma ideia de qual é mais interessante.

Mas apenas esse exercício não define se você deve ou não comprar uma ação. Depois dessa primeira seleção, é preciso conhecer melhor as empresas antes de comprar ações.

Checklist das ações

Margem bruta

Este indicador é obtido ao dividir o lucro bruto de uma empresa pela receita líquida dela.

$$\text{Margem bruta} = \frac{\text{lucro bruto}}{\text{receita líquida}}$$

Assim, temos uma ideia da porcentagem da receita líquida (ou seja, a receita da empresa descontando deduções, cancelamentos e impostos) da empresa que se tornou lucro bruto (ou seja, quanto dessa receita sobrou após também descontar os custos do produto vendido).

A margem bruta acaba sendo o indicador essencial para entendermos se a empresa gera lucro com as suas vendas – e se esse lucro tem uma margem gorda ou não.

Quanto maior for a margem bruta, melhor. Afinal, quanto maior for a margem bruta da empresa, maior será a porcentagem da receita líquida que virou lucro bruto.

Exemplo:

No final de 2019, uma empresa de alimentos registrou receita líquida de R$ 48,76 bilhões. No mesmo período, o lucro bruto apresentado pela companhia foi de R$ 6,38 bilhões.

Calculando a margem bruta dela, temos:

$$\frac{R\$\ 6.383.936.000}{R\$\ 48.761.057.000} = 0,1309 = 13,09\%$$

Ou seja: 13,09% da receita líquida se tornou lucro bruto em 2019.

Margem líquida

A margem líquida é um indicador parecido com a margem bruta. O diferencial dos dois é: enquanto a margem bruta busca entender quanto da receita líquida se transformou em lucro bruto, a margem líquida busca entender quanto da receita líquida da empresa se transformou em lucro líquido – o lucro que realmente ficou na empresa após todos os descontos financeiros.

Sabendo disso, a margem líquida é calculada ao dividir o lucro líquido da empresa por sua receita líquida.

$$\text{Margem líquida} = \frac{\text{lucro líquido}}{\text{receita líquida}}$$

Esse é um dos indicadores mais importantes para os investidores. Afinal de contas, como mencionei antes, é justamente o lucro líquido que muitas vezes serve como referencial para entendermos o valor que vai ser repassado aos acionistas, seja por meio dos dividendos, seja por meio de rendimentos futuros (já que a empresa só consegue reinvestir nela mesma quando tem uma margem confortável de lucro).

Usando a mesma empresa como exemplo: no final de 2019, ela apresentou R$ 1,58 bilhão em lucro líquido.

Fazendo o cálculo:

$$\text{Margem líquida} = \frac{R\$\ 1.582.239.000}{R\$\ 48.761.057.000} = 0,03244 = 3,24\%$$

Desse cálculo, obtemos a seguinte informação: da receita líquida que essa empresa teve em 2019, 3,24% acabaram se tornando lucro líquido, ou seja, o lucro final após todos os descontos (custos, despesas etc.).

ROE – Retorno sobre o patrimônio líquido

O ROE é o indicador mais importante para os acionistas de uma empresa.

Isso porque ele é um indicador de rentabilidade, mas de uma perspectiva diferente: quando olhamos para a margem líquida, ela nos dá a informação de quanto de lucro uma empresa está gerando com base na sua receita. Já no caso do ROE, ele nos conta quanto de lucro uma empresa está gerando com base no capital dos seus acionistas.

Em outras palavras, ele é um indicador que diz para você quanto dinheiro a empresa consegue transformar em lucro líquido com base no dinheiro que você e todos os acionistas investiram nela.

Por isso, ele é calculado dividindo-se o lucro líquido da empresa pelo seu patrimônio líquido.

$$\text{ROE} = \frac{\text{lucro líquido}}{\text{patrimônio líquido}}$$

No caso da empresa que estou usando como exemplo, nós já sabemos o lucro líquido. O que nos falta é saber o patrimônio líquido dela – que pode ser obtido numa demonstração financeira chamada de "balanço patrimonial". (Caso você tenha curiosidade, o lucro líquido pode ser obtido na "Demonstração de Resultado do Exercício" – ou simplesmente "DRE".)

Ao olharmos, então, o balanço patrimonial dessa empresa de alimentos, descobrimos que o patrimônio líquido dela no final de 2019 era de R$ 1,78 bilhão. Nesse caso, o ROE ficaria assim:

$$\text{ROE} = \frac{\text{lucro líquido}}{\text{patrimônio líquido}} = \frac{\text{R\$ 1.582.239.000}}{\text{R\$ 1.776.341.000}} = 0{,}8907 = 89{,}07\%$$

E como interpretamos isso? Simples: a empresa conseguiu transformar em lucro líquido um valor equivalente a 89,07% do capital dos seus acionistas.

Por isso, quanto maior é o ROE, melhor é para os acionistas da empresa.

P/L – Preço sobre lucro

O P/L é um dos indicadores mais conhecidos no mundo de ações. A ideia desse indicador é bem simples: te dar um parâmetro de quantos anos a empresa levaria, em forma de lucro, para "pagar" o preço pelo qual ela está sendo negociada no mercado.

Por isso, o P/L é um dos principais indicadores para entender quão cara ou barata uma ação está na bolsa.

O cálculo é simples: divide-se o preço da ação pelo lucro por ação da empresa (o lucro por ação é obtido dividindo-se o lucro líquido da empresa pelo seu número de ações).

$$P/L = \frac{\text{preço da ação}}{\text{lucro por ação}}$$

$$\text{Lucro por ação} = \frac{\text{lucro líquido}}{\text{número de ações}}$$

Outra forma de calcular o P/L é dividindo o valor de mercado da empresa pelo lucro líquido (em alguns casos, isso é mais fácil, pois o valor de mercado é facilmente encontrado na internet).

No caso dessa empresa que estamos usando como exemplo, já temos a informação do lucro líquido, precisaríamos apenas encontrar o valor de mercado dela. No final de 2019, o valor de mercado era de R$ 6,98 bilhões.

Fazendo então o cálculo do P/L, temos:

$$P/L = \frac{\text{valor de mercado}}{\text{lucro líquido}} = \frac{\text{R\$ 6.981.936.600}}{\text{R\$ 1.582.240.000}} = 4,41$$

Ou seja: em aproximadamente quatro anos, o lucro seria suficiente para "pagar" o preço pelo qual ela estava sendo negociada em 2019.

Liquidez corrente

O indicador de liquidez corrente, diferentemente dos já apresentados, é um indicador de endividamento. O raciocínio por trás dele é te ajudar a entender se os recursos que a empresa tem no curto prazo (um ano) são capazes de satisfazer as obrigações de curto prazo dela. A lógica é parecida com a relação do nosso salário com as nossas dívidas: se o nosso salário é insuficiente para pagarmos todas as nossas dívidas e os boletos, isso significa que corremos um risco sério de nos tornarmos inadimplentes (e, consequentemente, de falirmos).

O cálculo é simples: dividimos o ativo circulante da empresa (os ativos de curto prazo) pelo passivo circulante dela (os passivos/obrigações de curto prazo). Ambos os dados podem ser obtidos no balanço patrimonial da empresa.

$$\text{Liquidez corrente} = \frac{\text{ativo circulante (de curto prazo)}}{\text{passivo circulante (de curto prazo)}}$$

No caso da fabricante de alimentos, o cálculo ficaria assim:

$$\text{Liquidez corrente} = \frac{\text{R\$ 14.420.104.000}}{\text{R\$ 10.615.048.000}} = 1,358$$

Dessa forma, entendemos o seguinte: no final de 2019, ela tinha ativos de curto prazo 1,358 vez maiores do que as suas obrigações de curto prazo – logo, tinha ativos mais do que suficientes para cumprir as suas obrigações de curto prazo, tendo, então, uma situação controlada.

O cenário ideal é que a liquidez corrente seja maior ou igual a 1 (quanto maior, melhor). Com valores abaixo de 1, deve-se tomar cuidado.

Há muitas instituições que calculam esses indicadores. Mas quero te fazer uma recomendação: busque a informação na fonte: os balanços da empresa, divulgados nos seus sites, na Comissão de Valores Mobiliários (CVM) ou no site da Bolsa, a B3.

Talvez agora você esteja se perguntando: ok, mas como eu sei o que é um número de liquidez corrente bom ou uma margem boa?

E a resposta é: comparando. O melhor a ser feito é comparar empresas de um mesmo setor e ver qual delas tem números melhores. Dessa forma, você começa a criar um parâmetro sobre o que é bom e o que é ruim.

Real estate (imóveis)

Investir em imóveis é uma das formas mais antigas de guardar dinheiro. Pense na Idade Média, quando os senhores feudais compravam mais e mais terras. Ou no descobrimento do Brasil, quando um grande prêmio era ganhar uma capitania hereditária. Terrenos, casas, apartamentos, hotéis, salas comerciais, galpões... Investimentos em imóveis te oferecem perenidade.

Mas você não precisa comprar um imóvel para investir nesse tipo de ativo. Você pode também investir em fundos imobiliários (FIIs), que são isentos de imposto de renda e te garantem um retorno mensal que você pode reinvestir.

Também é muito mais simples comprar uma cota de um fundo, e não um apartamento ou uma sala comercial, porque você elimina o trabalho e o custo de arcar com a burocracia (escrituras, impostos, manutenção para o inquilino etc.). E, por fim, há o fator liquidez: é muito mais fácil vender uma cota de fundo do que uma casa, por exemplo.

O que analisar ao investir em imóveis (principalmente nos FIIs)

Tipo de imóvel (qualidade da carteira)

Isso é extremamente relevante, principalmente quando optamos por investir na opção dos fundos imobiliários.

Existem três tipos principais de fundos imobiliários: os fundos de tijolo, os fundos de papéis e os fundos híbridos.

Os fundos de tijolo são aqueles cujos principais ativos são imóveis físicos. Aqui podemos falar de fundos imobiliários que administram:

- prédios comerciais;
- shoppings;
- galpões logísticos;
- hospitais;
- galpões industriais.

Já os fundos de papéis são aqueles cujos principais ativos são ativos financeiros ligados ao setor imobiliário, como:

- Certificados de Recebíveis Imobiliários (CRIs);
- Letras de Crédito Imobiliário (LCIs);
- outros fundos imobiliários (FIIs).

Por fim, os híbridos são os fundos que fazem os dois: têm tanto imóveis físicos quanto ativos financeiros ligados ao setor imobiliário em sua carteira.

E por que saber disso é importante? Porque, dependendo dos ativos que compõem o fundo, olhamos para ele de forma diferente.

Em um fundo de tijolo, por exemplo, é fundamental termos noção de qual é a rentabilidade do imóvel e se ele de fato está sendo utilizado em sua total capacidade ou não.

Já num fundo de papel, não precisamos saber a qual negócio esse CRI ou essa LCI está atrelada e nem se está indo bem ou não. O que precisamos saber é: esse negócio tem a capacidade de honrar seus pagamentos até o final desse CRI? (Perceba: no de tijolo, damos ênfase à rentabilidade; no de papel, damos ênfase à capacidade de pagamento.)

Localização

Localização, vacância e inquilinos são importantes nos fundos de tijolo. Se você não tem uma noção clara dessas informações, pode facilmente cair em alguma "cilada". O aspecto da localização é importante quando olhamos para os imóveis de maneira geral: um imóvel tem mais ou menos valor dependendo também da região em que está localizado. Um FII de shoppings, por exemplo, pode ter muito valor dependendo das regiões em que ficam os shoppings que compõem a sua carteira (porque isso traz mais clientes, que trazem maior interesse das lojas, que aumentam os aluguéis, e por aí vai...).

Quando olhamos para a vacância, queremos entender se todo km² utilizável, chamado de área bruta locável, está sendo utilizado ou não. Se não estiver, isso significa que uma parte do imóvel está sem gerar renda – logo, não está utilizando toda a sua rentabilidade potencial. Taxas grandes de vacância podem significar má utilização do imóvel e também que ele corre o risco de não conseguir rentabilidade suficiente para pagar suas despesas.

Por fim, entender quem é o inquilino do ativo que compõe o seu imóvel (e isso vale até mesmo se não estivermos falando de fundos imobiliários) é muito importante para compreender a segurança que você terá como locatário/cotista do fundo. A ideia é pesquisar se o locador tem bom histórico de pagamento, se é confiável etc.

Custo

Por último, mas não menos importante, saber os custos que envolvem o imóvel faz muito sentido na hora de entender se a sua escolha está certa ou não. No caso de fundos imobiliários, o custo principal é o que chamamos de **taxa de administração** – a taxa que o fundo cobra para administrar o seu patrimônio dentro dele. Já quando pensamos em imóveis de forma mais ampla, temos os gastos com a obra, com a manutenção do imóvel, com o aluguel e com tudo que, de certa forma, o fundo imobiliário administra no seu lugar.

Quando você for escolher um fundo imobiliário, tome cuidado para não comparar carteiras diferentes. É claro que você pode e deve diversificar também na sua carteira de real estate e investir em diferentes segmentos para reduzir riscos. Mas não pode comparar laranjas com bananas. E a seguir vou mostrar o que você deve olhar em cada fundo para fazer sua primeira filtragem:

Checklist dos fundos imobiliários

P/VP – Preço por valor patrimonial

O P/VP segue um padrão parecido com o que vimos quando falamos do P/L.

A diferença é que o P/L faz um comparativo entre o preço da ação e o lucro que a empresa tem por ação. No caso do P/VP, o comparativo é entre o preço da cota do fundo e quanto ele tem de valor patrimonial por cota.

Ele acaba sendo um bom indicador porque, como um fundo imobiliário trata de investimentos (a rigor) em imóveis, o real valor do fundo imobiliário está nos ativos, e consequentemente no patrimônio, que ele tem sob gestão. E comparar o valor desses ativos com o preço pelo qual o fundo imobiliário está sendo cotado no mercado nos dá uma ideia sobre esse fundo imobiliário estar caro ou barato.

Exemplo: considere um fundo imobiliário do setor de shoppings cujo único imóvel é um shopping na Grande São Paulo. Para calcular o P/VP dele, fazemos um processo bem parecido com o P/L: pegamos o valor de mercado do fundo e dividimos pelo patrimônio líquido do mesmo estabelecimento.

$$P/VP = \frac{\text{valor de mercado do fundo}}{\text{patrimônio líquido}}$$

O valor de mercado deste fundo no final de 2019 era de R$ 1,34 bilhão. Já o patrimônio líquido dele, no mesmo período, era de R$ 1,06 bilhão.

Nesse caso, o P/VP ficaria assim:

$$P/VP = \frac{R\$\ 1.340.346.978}{R\$\ 10.615.048.000} = 0{,}1263$$

E o que isso quer dizer? Que o fundo estava sendo negociado, em 2019, a um preço 0,1263 maior que o valor do seu patrimônio. Assim, você tem uma leve ideia de quão caro ou barato está o fundo. Lembre-se de que, assim como no caso das ações, o ideal é comparar com outros fundos parecidos para se ter uma ideia mais palpável do que é caro ou barato.

Vacância física

Aqui, vale o mesmo que expliquei no item "Localização" deste capítulo.

Dividend Yield

O Dividend Yield (popularmente conhecido simplesmente como DY) também é um indicador útil para ações, mas que é ainda mais importante para fundos imobiliários.

Isso porque há ações que pagam dividendos com periodicidades diferentes (mensal, trimestral, anual etc.) e também que não têm o seu principal benefício ligado ao dividendo (já que você pode ganhar também com a valorização da ação).

Inclusive, há ações que nem precisam pagar dividendos – e essas têm a premissa de que todo lucro que a empresa tem é reinvestido nela mesma.

No caso dos fundos imobiliários, a dinâmica é diferente: por convenção, a maioria dos fundos imobiliários paga dividendos mensais. E os fundos, por lei, são obrigados a distribuir pelo menos 95% dos seus rendimentos em forma de dividendos aos seus cotistas (não necessariamente os rendimentos mensais).

Dada essa dinâmica própria dos FIIs, o DY acaba sendo um indicador muito importante, já que um dos principais benefícios do ativo são justamente os dividendos repassados aos cotistas, também isentos de imposto de renda.

O DY é calculado pela seguinte fórmula:

$$\text{Dividend Yield} = \frac{\text{proventos pagos nos últimos 12 meses}}{\text{preço da cota do fundo imobiliário}}$$

O racional é verificar todos os proventos/dividendos que o fundo distribuiu aos cotistas no período de 12 meses (equivalente a um ano) e tentar entender quanto o DY representou em comparação ao preço da cota do fundo.

Se temos um DY de 10%, por exemplo, isso significa que os proventos pagos nos últimos 12 meses pelo FII representaram 10% do preço do fundo imobiliário no mercado. Logo, você poderia considerar aqui que só os dividendos/proventos que o fundo pagou ao longo dos últimos 12 meses já pagaram 10% do preço do ativo.

No caso do nosso exemplo, somando os valores que ele distribuiu de janeiro até dezembro de 2019, foi pago um total aos cotistas no ano de R$ 5,28 por cota do fundo. No dia 30 de dezembro de 2019, a cota do fundo estava avaliada na bolsa em R$ 109,83.

Logo, o DY ficaria assim:

$$\text{Dividend Yield} = \frac{R\$\ 5{,}28}{R\$\ 109{,}83} = 0{,}0481 = 4{,}8\%$$

Ou seja: em relação ao preço do final de 2019, o fundo chegou a pagar 4,8% do preço em forma de dividendos ao longo do ano, e isso pode se tornar um referencial para entender quanto você ganharia caso comprasse uma cota dele no final de dezembro de 2019.

Caixa

"*Cash is king*" (o caixa é rei), diriam os grandes e renomados investidores e executivos. Em uma crise econômica (e em 2020 o Brasil e o mundo viveram uma de chacoalhar as bases de muitas empresas e famílias), ter dinheiro acessível pode garantir sua sobrevivência até que as coisas melhorem.

Quando eu falo de caixa, estou falando de investimentos muito líquidos e conservadores. Não é para manter dinheiro na sua conta-corrente ou poupança. O que eu recomendo é que você aloque 25% dos seus investimentos em ativos que você pode sacar ou vender de um dia para o outro. Títulos do Tesouro Direto, fundos DI, dólar, ouro... cada um tem sua convicção do que é melhor. Eles não vão render tanto quanto suas outras carteiras, mas te oferecem um balanceamento de liquidez.

Ter à disposição um investimento de que você pode lançar mão rapidamente vai te ajudar a não se desesperar em um momento de crise. Também vai permitir que você possa abraçar oportunidades que venham a surgir de uma hora para outra.

Jamais se esqueça da frase acima, mesmo que você tenha um trabalho muito estável. Todo mundo se depara com imprevistos ou oportunidades imperdíveis em algum momento da vida. A única certeza que você tem é que não sabe quando isso vai acontecer.

O que analisar para compor seu caixa

Liquidez: quando você tem um investimento que se configura como "caixa", a ideia é que consiga convertê-lo rapidamente em dinheiro. Afinal, não adianta ter um dinheiro guardado para "aproveitar oportunidades", mas precisar esperar um mês para ter o dinheiro no bolso e, só então, aproveitar a oportunidade. Nesse tempo, a oportunidade já pode ter desaparecido.

Por conta disso, é ideal que o investimento de caixa tenha alta liquidez, isto é, que seja fácil e rápido de transformar em dinheiro (no tesouro Selic, por exemplo, leva um dia útil para que você faça o resgate e tenha o dinheiro na conta da corretora).

Segurança: o investimento utilizado para caixa também deve ter alta segurança. Afinal, se esse dinheiro é para aproveitar oportunidades, você não pode correr o risco de, quando a oportunidade chegar, esse investimento estar te dando prejuízo. Por isso, a preferência é procurar investimentos bastante seguros.

Rentabilidade: entenda que, se estamos procurando um investimento de alta liquidez que ao mesmo tempo seja muito seguro, certamente ele não vai dar tanto retorno. Por isso mesmo, e por conta do próprio objetivo do caixa (que é aproveitar oportunidades), os investimentos utilizados para caixa não precisam render MUITO. O objetivo deles não é esse. O que eles precisam é pelo menos render mais que a poupança, que acaba se tornando um comparativo bom para esse tipo de investimento.

Para escolher onde colocar essa parcela da sua carteira, compare três características:

Checklist dos ativos para seu caixa

Prazo
O ideal é que os prazos para retirada do investimento não sejam longos, como é o caso de alguns CDBs, cujo resgate só é possível no vencimento da aplicação.

Retorno
É ideal que o investimento tenha pelo menos uma rentabilidade maior que a da poupança (que, no patamar de hoje, é 70% da Selic).

Rating
Muitos investimentos de renda fixa vêm acompanhados do que chamamos de "*rating*" – basicamente, instituições que são especializadas em analisar o risco de um investimento dão uma "qualificação" para ele, que vai de AAA (grau muito seguro de investimento) até graus mais especulativos, como CCC.

Brasil sem selo de bom pagador

Veja nota do país nas principais agências de risco do mundo

Fitch Ratings	Moody's	Standard & Poor's	Significado na escala
AAA	Aaa	AAA	Grau de investimento com qualidade alta e baixo risco
AA+	Aa1	AA+	
AA	Aa2	AA	
AA-	Aa3	AA-	
A+	A1	A+	
A	A2	A	
A-	A3	A-	
BBB+	Baa1	BBB+	Grau de investimento com qualidade média
BBB	Baa2	BBB	
BBB-	Baa3	BBB-	
BB+	Ba1	BB+	Grau de investimento com qualidade média
BB	**Ba2**	BB	
BB-	Ba3	**BB-**	
B+	B1	B+	
B	B2	B	
B-	B3	B-	
CCC	Caa1	CCC+	Risco alto de inadimplência e baixo interesse
CC	Caa2	CCC	
C	Caa3	CCC-	
RD	Ca	CC	
D	C	C	
		D	

Fonte: Fitch Ratings; Standard & Poor's; Moody's.
Infográfico atualizado em 23/02/2018.

Ativos internacionais

A metodologia ARCA, que eu apresento aqui, propõe que você diversifique e balanceie os riscos, a rentabilidade e a liquidez. Esses são os pilares de toda estratégia de investimento. Mas, quando falamos de diversidade, não podemos nos esquecer da exposição a uma só economia e uma só moeda.

O grande segredo do mercado financeiro é sobreviver a ele. Por isso, sugiro que a quarta fatia dos seus investimentos seja usada para comprar ativos internacionais, especialmente ações nos Estados Unidos.

O principal objetivo disso é reduzir sua exposição cambial. A moeda brasileira é uma das mais voláteis do mundo, e, no ano de 2020, seu desempenho foi o pior, de longe, entre as principais moedas. Se você colocar todo o seu dinheiro em ativos denominados em reais, o retorno da sua carteira fica sujeito também ao desempenho da moeda.

Outro fator importante para colocar seu dinheiro em ativos de outro país é não estar sujeito ao desempenho de uma economia, que é afetada por uma variedade enorme de fatores (política, demanda mundial pelos seus produtos, seca ou excesso de chuvas etc.) e sobre a qual você não tem controle. Ao dividir seus investimentos entre duas economias, você ganha mais uma camada de diversidade e proteção contra volatilidade. E nada melhor do que investir no maior mercado acionário do mundo, os Estados Unidos.

Para avaliar que ações comprar, use os mesmos critérios de escolha que usou para as ações brasileiras:

- lucratividade;
- endividamento;
- preço, ou o valor que a empresa tem;
- crescimento que vem registrando e potencial;
- governança corporativa, já que não adianta investir em uma empresa com bons números, mas que comete fraudes.

E lembre-se de que, assim como para o mercado acionário do Brasil, você deve procurar ações de setores diferentes e complementares.

Checklist das ações internacionais

P/L: preço da ação em relação ao lucro. Quanto menor, mais barata a ação está.
PEG Ratio: é o P/L sobre o crescimento. Quanto menor, mais atrativo.
ROE: retorno sobre o patrimônio líquido da companhia. O maior retorno é sempre melhor.
Margem líquida: é a fração de cada real em vendas que resultou em lucro líquido.
DL/EBIT: é a dívida líquida sobre a receita antes de impostos.

Balanceamento

A ARCA propõe que você distribua seus investimentos em quatro partes iguais, o que deve ser mantido ao longo do tempo. Se você recebeu dividendos ou rendimentos e vai reinvestir, veja qual categoria está com o percentual mais baixo. Se sua carteira de fundos imobiliários valorizou enquanto a bolsa caiu, o próximo aporte deve ser feito em ações, para retomar o balanceamento mais próximo de 25% em cada.

A melhor forma de manter a sua carteira de investimentos balanceada é fazer os aportes nas categorias que estiverem com valores menores. Outra maneira seria vender ativos para comprar outros, mas isso te obrigaria a pagar impostos, o que é sempre prejuízo. Então, aproveite a hora de alocar mais dinheiro para rebalancear a carteira.

Anamnese financeira

Para começar, é preciso que você saiba onde está neste momento, e para isso você pode fazer uma autoanálise. Recomendo que você seja extremamente sincero nesta etapa, para entender seus pontos fortes e suas limitações. Assim, vai ser produtivo decidir o caminho que você vai tomar para chegar à liberdade financeira. Vou te dar dicas e sugestões ao longo desta parte do *Método financeiro do Primo Rico*, mas as decisões são pessoais e você terá que tomá-las sozinho.

A autoanálise começa com um olhar atento para os seus gastos e a sua situação financeira atual. Porque o grande segredo é quanto você gasta, e não quanto você ganha. Você só vai ficar rico se gastar menos do que ganha. Mas você já fez as contas, sabe onde gasta e como gasta?

Lembre-se: seu grande objetivo é competir com você mesmo. Não olhe para o lado, para o que outras pessoas ganham e gastam. Isso não importa. Você vai sempre ser mais rico que alguns e mais pobre que outros. Você nunca vai ser igual a uma pessoa de sucesso. Você só vai ser você mesmo em uma versão muito melhor.

Você deve se preocupar somente com as **SUAS** finanças.

Você nunca vai ser igual a uma pessoa de sucesso. Você só vai ser você mesmo em uma versão muito melhor.

CONTEÚDO – ANAMNESEFINANCEIRA

Um exame clínico do seu dinheiro

Para chegar à sua meta, você precisa escolher um caminho adequado ao veículo que tem. Ninguém vai atravessar um rio de carro nem percorrer 20 mil quilômetros se estiver no lombo de um cavalo.

É importante traçar metas alcançáveis. E, para isso, você tem que entender de onde está partindo e quais objetivos quer alcançar, um a um, para que sua jornada se torne mais produtiva.

Então, vamos fazer um check-up das suas finanças!

Você...

- S N — Está livre de dívidas?
- S N — Ganha mais do que gasta?
- S N — Consegue pagar todas as suas contas com, no máximo, 80% do seu salário?
- S N — Tem um fundo de emergência?
- S N — Possui investimentos diversificados?
- S N — Tem investimentos planejados para se aposentar com tranquilidade?

Alguma resposta foi não?

Diagnóstico 1
Então você ainda não é 100% saudável financeiramente. Você pode aparentar estar em forma, ter feito alguma reserva e pensado no futuro, mas é possível que esteja sendo instruído de forma inadequada ou tenha escolhido a ferramenta errada para atingir suas metas.

Tratamento
Repense o seu objetivo totalmente e trabalhe o seu caminho para resolver isso.

Respondeu sim para todas?

Diagnóstico 2
Você está no caminho certo para a liberdade financeira. Parabéns! Mas ainda dá para fazer mais.

Tratamento
Continue assim e aproveite esta tranquilidade para pensar onde pode melhorar: talvez a sua estrutura de gastos, a fonte de renda ou a distribuição de seus investimentos.

Seu primeiro milhão está mais perto do que você imagina

O sucesso que eu tenho é fruto de muito esforço e de boas escolhas de investimento, que fiz com base em muito estudo. Por isso, eu te garanto de antemão que a melhora de suas finanças e, quem sabe, a conquista do seu primeiro milhão, *é possível* seja qual for o ponto do qual você estiver partindo.

O caminho até o primeiro milhão não é fácil. Para alguns, vai ser mais difícil que para outros. Ou mais demorado. Mas este é um jogo de paciência em que você vai planejar, executar o planejamento e revisá-lo constantemente para atingir o resultado que você almeja. Errou? Todo mundo erra, mas só alguns aprendem com os erros em vez de apenas se arrepender.

Há inúmeras histórias como a de Cícero Batista, de Brasília. Ele foi catador de lixo desde criança porque precisava ajudar em casa. Mas pegava livros descartados, mesmo antes de saber ler. Quando aprendeu a ler passou a devorar todos os livros. Um dia decidiu ser médico, e usou livros emprestados para estudar. Teve ainda a ajuda de professores que se ofereceram para ensiná-lo. Cícero passou no vestibular e começou duas faculdades de Medicina, mas elas ficavam a 400 km de sua casa e de seu emprego, em Brasília, e ele não conseguiu arcar com os custos. Precisou parar e depois conseguiu entrar numa faculdade próxima ao trabalho, e agora é um médico formado. **O AMBIENTE EM QUE VOCÊ NASCEU TE INFLUENCIA, MAS NÃO DETERMINA O QUE VOCÊ SERÁ.**

A primeira dica que eu te dou é investir com inteligência, e não apenas em busca de rentabilidade. Para cada objetivo, as opções de investimento são diferentes. Para o fundo de emergência, por exemplo, você deve buscar liquidez e segurança. Claro que a rentabilidade importa, desde que você possa acessar seu dinheiro rapidamente quando precisar e corra risco baixo.

Quando você atingir sua meta de fundo de emergência, pode começar a adotar uma postura mais ousada e agressiva. Ações, previdência privada, fundos mais arriscados e que te darão um retorno maior. Se você estiver em busca de objetivos de médio ou longo prazo, como a compra de uma casa ou a aposentadoria, não vai precisar de tanta liquidez no curto prazo e pode mirar em produtos que te ofereçam rentabilidade maior.

Depois de decidir suas metas, você vai estudar as categorias de investimento mais indicadas para cada uma. Falaremos sobre isso mais adiante, em "Investir melhor". Mas o que eu gostaria de dizer agora é que você não precisa virar um especialista em investimentos e conhecer a fundo todas as categorias para chegar ao seu primeiro milhão. Você precisa entender o seu objetivo e como chegar lá, além de se informar sobre algumas categorias que vão te ajudar a cumprir esta meta.

Metas são sonhos possíveis!

Eu, e provavelmente você também, cresci ouvindo que sonhos não têm limites. Quando somos crianças, sonhamos em ser artilheiros de Copa do Mundo ou virar astronautas. Meus sonhos nunca deixaram de existir e me motivaram a vida toda. Mas, à medida que eu crescia, eles começaram a se realizar. Isso porque se tornaram sonhos possíveis ou sonhos com prazo.

Muitas vezes, ouço das pessoas que elas estão desanimadas porque nunca vão conseguir realizar seus sonhos. Mas elas nunca sequer se dispuseram a colocar os sonhos no papel e estimar quanto custaria para realizá-los e quando isso deveria acontecer.

Colocar o sonho no final de uma reta e traçar o caminho que você vai precisar trilhar para chegar lá é um primeiro exercício que já vai te ajudar a concretizar seu objetivo.

Em relação ao seu patrimônio, qual a sua meta pessoal a ser alcançada em um ano?

Seu sonho pode ser, por exemplo, se tornar milionário em três anos. Quando você colocar isso no papel e traçar o caminho, pode descobrir que isso será inviável nesse prazo. Mas que, nesse mesmo período, se você executar seu planejamento, já poderá estar mais perto do que jamais imaginou e no caminho para atingir seu objetivo num prazo um pouco mais longo. E que chegará lá se tiver disciplina. "Metas são sonhos com prazo", diz a frase atribuída à escritora Diana Scharf-Hunt.

Qual é o seu sonho? Pode ser fazer aquela festa de casamento arrebatadora ou uma viagem inesquecível para a Disneyland com sua família. Pode ser garantir que seu filho estudará na melhor universidade internacional sem ter que se preocupar com dinheiro, comprar uma casa própria ou se aposentar tranquilamente daqui a 25 anos com uma renda mensal de R$ 10 mil.

Para realizar qualquer um desses sonhos, você vai precisar de dinheiro. Algumas pessoas se preocupam com a aposentadoria, mas se esquecem de viver o presente. E para viver o presente e realizar seus sonhos você precisa de dinheiro.

Vou te ajudar a fazer um planejamento financeiro para conseguir chegar lá, e, quando ele se tornar realidade, você não terá dívidas. Vai apenas curtir aquele momento especial.

Mas já te aviso que há uma grande chance de que você mude ou ajuste o seu sonho quando começar a traçar sua estratégia. Talvez você perceba que não faz sentido comprar um carro novo e financiado se você pode ter outro mais barato, seminovo e pago à vista. Ou que vale mais a pena morar de aluguel e investir o dinheiro que sobraria de uma parcela de imóvel, mas não pagar juros e estar perto do trabalho para gastar menos tempo em deslocamento diário.

Isso acontece com frequência quando planejamos nosso futuro. Muitas vezes descobrimos até que aqueles sonhos não eram nossos de verdade. Eram os sonhos de uma parte da sociedade que vão se refletindo nos nossos desejos como se fossem nossos.

Metas são sonhos com prazo.

Antecipar sonhos pode custar o seu futuro.

Muitos vivem apenas antecipando sonhos e acabam não desfrutando deles no momento correto e, o mais importante, com total tranquilidade. Antecipar sonhos pode custar o seu futuro.

O planejamento vai te ajudar muito a tomar essas decisões, que são só suas.

Ficar rico, mas não agora

Você decidiu que, a partir de agora, vai organizar suas finanças e planejar o futuro. Parabéns! Este é o primeiro passo para sair das dívidas, começar a investir e ficar rico.

Quando uma pessoa decide finalmente tomar as rédeas de sua vida financeira, reestruturar seus gastos, planejar investimentos, traçar metas e objetivos de vida, é muito comum pensar que toda essa reformulação renderá ganhos em um curto período. Não caia nessa armadilha!

Acontece a mesma coisa quando decidimos entrar na academia porque estamos sedentários ou fora de forma. Aposto que até você já passou por isso: fez a matrícula e, nas duas primeiras semanas, fez os treinos completos todos os dias. Ficamos tão animados e dispostos que nem as dores musculares nos fazem parar e temos certeza absoluta de que todo esse empenho logo vai render os primeiros resultados. Daqui a um mês a barriga já vai estar mais durinha, né?

Só que a vida é cheia de imprevistos, e na semana seguinte o treino descambou. Você precisou ficar no trabalho até mais tarde para entregar um novo projeto, seu filho adoeceu e você teve que cuidar dele, ou uma semana de chuva forte deixou o trânsito insuportável e você acabou perdendo alguns dias de treino. Quando perdemos o ritmo, os resultados demoram mais a aparecer. Isso nos faz desanimar, passamos a treinar cada vez menos, até que desistimos de vez, pensando que "isso não é para mim".

É uma pena, mas isso acontece com mais frequência do que imaginamos, e não é diferente com a reeducação e o planejamento financeiro. Eu gosto de deixar claro que o sucesso dessa empreitada vai exigir que você abra mão de algumas ou de diversas coisas e saiba que os resultados não serão colhidos no curto prazo. A perseverança é fator-chave para que você atinja seus objetivos.

SEU FUTURO NÃO TERMINA NO FINAL DA SEMANA. Você vai precisar se dedicar muito para chegar lá. O bom é que estamos fazendo isso juntos. Você já está saindo na minha frente, porque eu tive que fazer isso sozinho.

Não se engane! Assim como o resfriado e o trânsito te impedem de treinar, uma despesa extraordinária possivelmente surgirá no meio do seu caminho. Não conseguimos controlar tudo. Um problema de saúde pode te obrigar a gastar mais com medicamentos, o carro pode precisar de uma manutenção de emergência ou o excesso de trabalho e de estudo pode tirar seu foco.

Mas isso não acontece só com você. Uma pesquisa do Banco Mundial compilada por pesquisadores brasileiros da Fundação Getulio Vargas mostrou que menos de 4% dos brasileiros poupam pensando em suas necessidades na velhice.*

Outro equívoco frequente de quem está começando a pensar em suas finanças é achar que as pessoas buscam a liberdade financeira por pura ganância ou amor pelo dinheiro, sem se lembrar do benefício emocional que uma situação financeira confortável traz em diversos aspectos da vida.

* Afonso, J. R.; Abreu, T. Alguns poupam muito, mas mal, no Brasil. Conjuntura Econômica, pp. 24-27, jun. 2018.

Mas, se você está lendo isso, é porque quer mudar. E, para isso, vai precisar ter disciplina e comprometimento e, acima de tudo, mudar sua mentalidade, o chamado *mindset*. Lembre-se sempre de que você vai aprender pouco a pouco e precisará dar um passo de cada vez para atingir seus objetivos de longo prazo. Não há vida sem contratempos. Também não há avanço sem sacrifícios.

Para lidar com eles, persista na sua jornada rumo à liberdade financeira. Às vezes não dá mais para insistir em um caminho e é preciso fazer ajustes e pegar outro. A recompensa vai chegar! Cada um terá uma fórmula pessoal para esta caminhada, assim como seus próprios objetivos. Mas algumas ferramentas podem te ajudar nela, seja qual for o seu processo.

Não há vida sem contratempos. Também não há avanço sem sacrifícios.

Sua situação financeira pode mudar, e você deve se ajustar a isso para atingir seus objetivos!

O objetivo da análise financeira é entender como você está neste quesito, o que consegue mudar e o que não funciona para você. A anamnese que você acabou de fazer serviu para um primeiro diagnóstico. Agora vamos fazer um teste para você entender onde se encaixa em uma de quatro fases financeiras e, assim, traçar melhor o seu caminho para a riqueza.

Mas lembre-se de que a vida é fluida e eventos inesperados acontecem. Então retome a anamnese e este teste de tempos em tempos, para ver se você conseguiu melhorar ou se piorou em alguns quesitos e também para ajustar o seu planejamento.

O objetivo da análise financeira é entender como você está neste quesito, o que consegue mudar e o que não funciona para você.

Entenda onde vai parar o seu dinheiro

O dinheiro que você ganha é suficiente para você, para sua família e para poupar?

Será que estou realmente gastando demais (ou pouco demais) em alguma categoria? Uma pizza pode custar apenas R$ 60, mas uma pizza por semana vai consumir ao menos R$ 3.120 no ano.

1 pizza = R$ 60

1 pizza por semana (no ano) = R$ 3.120

Só você pode dizer onde está gastando demais e em que pode economizar. As quatro perguntas a seguir servem para te ajudar nesta reflexão.

Liste as últimas cinco vezes em que você gastou mais do que deveria e se arrependeu:

1.

2.

3.

4.

5.

Quanto dinheiro você gastou a mais do que deveria no último mês?

R$

Pense em três coisas que podem acontecer com as pessoas que você mais ama se continuar gastando mais do que deve:

1.

2.

3.

Quais são as três coisas que você poderia fazer agora para gastar menos e melhor e que dependem exclusivamente de você?

1.

2.

3.

Três passos para economizar mais

u não conheço nenhuma pessoa que não queira ter mais dinheiro investido do que tem hoje. Mas chegar lá não é fácil. Como eu já disse antes, sacrifícios terão que ser feitos, e isso vai doer.

Judith Levine é uma jornalista americana que decidiu parar de comprar tudo que fosse supérfluo por um ano. Nada de roupas, revistas, passeios... O que ela sacrificou além do conforto? Sua vida social. Ela recusava convites, porque gastos com jantares e bares eram supérfluos também. E passou a ver menos os amigos. Você pode achar a decisão dela radical, mas ela tinha uma meta e conseguiu atingi-la. E essa foi a maneira.

Todo mundo precisa de um motivo para tomar uma decisão. É difícil fazer economia sem ter um propósito claro, seja um sonho, seja um grande evento que exija que você guarde dinheiro.

Gostaria de fazer uma ressalva. Definir uma meta pode parecer burocrático ou corporativo. É verdade, todas as empresas têm metas. Mas as pessoas também deveriam ter. Sua meta pode ser uma soma de dinheiro investido em um certo período, economizar pelo menos uma quantia x por mês, perder alguns quilos, melhorar seu rendimento esportivo ou aprender um novo idioma.

A meta também vai te ajudar a ter uma noção temporal das coisas. Você precisa agir hoje para ter mais no futuro. Se economizar R$ 1.000 hoje, vai ter mais que isso daqui a um ano. Se deixar para economizar os R$ 1.000 no ano que vem, terá perdido o rendimento. A meta, lá na frente, só será atingida se você começar a trabalhar agora. As pessoas só estão sentadas à sombra hoje porque alguém plantou uma árvore lá atrás, diz o bilionário Warren Buffett.

Mas como guardar mais? Vou sugerir três passos.

Comece do começo
(ou *first things first*)

Primeiro passo: saiba quanto você gasta e quanto ganha.

Muita gente não sabe exatamente quanto ganha líquido todo mês. Então vamos começar colocando isso no papel. A planilha a seguir traz exemplos do que você deve incluir para saber de onde parte todos os meses.

O que você classifica como gasto essencial e não essencial é muito pessoal também. Para um ávido leitor de notícias, que precisa se manter atualizado em tempo real para seu trabalho, a assinatura de um jornal ou um portal de notícias pode ser essencial. Algumas pessoas não conseguem viver sem o *streaming* de vídeos, mas abriram mão da TV a cabo. Para alguns, o cinema é a maneira de desopilar após uma semana estressante. Para outros, é a academia que relaxa.

Idealmente, o objetivo é ajustar o seu consumo para dedicar 50% do seu orçamento para as despesas essenciais, 10% para as não essenciais e 30% para investimentos. Fazendo essa divisão, você ainda terá 10% para gastar com o que quiser.

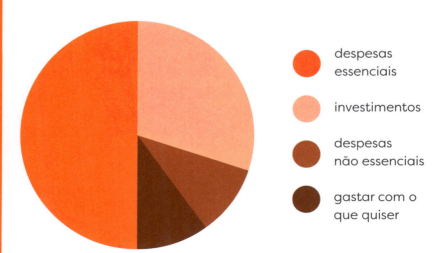

50%
despesas essenciais

30%
investimentos

10%
despesas não essenciais

10%
gastar com o que quiser

CONTEÚDO – GASTAR BEM

Planilha básica de orçamento com sugestões

minhas receitas

- Salário
- Renda extra (aluguel, por exemplo)
- Trabalho extra

gastos essenciais

- Aluguel
- Supermercado
- Transporte
- Plano de saúde
- Plano de internet
- Assinaturas (de jornal, streaming de música, TV a cabo)
- Aplicações em investimentos

gastos não essenciais

- Roupas novas
- Academia
- Cinema
- Pizza todo sábado
- Diarista
- Parcela do empréstimo

CONTEÚDO – GASTAR BEM

minhas receitas

gastos essenciais

gastos não essenciais

Refletindo sobre seus gastos

Para investir mais, você certamente terá que gastar menos. Só separar as despesas entre essenciais e não essenciais pode não ser suficiente. Afinal, de que adianta guardar dinheiro para a aposentadoria e deixar de viver agora?

A experiência da jornalista Judith Levine foi sofrida, mas durou um ano. Se ela decidisse fazer isso por toda a vida, chegaria à aposentadoria com dinheiro, mas talvez não tivesse vivido bem.

Consumir faz parte da nossa rotina. Mas, para chegar à riqueza, é preciso tomar decisões muitas vezes difíceis e controlar impulsos. Anotar gastos é um exercício importante de reflexão sobre o que pode ser controlado mais facilmente sem tanto impacto emocional.

A decisão do que pode ser reduzido é individual, e só você poderá tomá-la. Todos temos gastos que são difíceis de reduzir, e só nós sabemos quanto cada um é indispensável ou supérfluo.

Depois de anotar todos os seus gastos, eu proponho que você os organize em ordem de prioridade, do que mais gosta para o que menos gosta. A lista organizada vai tornar mais fácil cortar o que menos importa, e que talvez seja também onde você mais gasta. Corte de baixo para cima, sem dó!

Quais despesas você tem hoje que são dispensáveis?

Suas maiores despesas

L ance todas as suas despesas nos espaços abaixo, da mais importante para a menos importante. Inclua uma breve descrição do que é e o valor correspondente.

Se tiver dúvidas entre duas despesas e não souber qual é mais importante, coloque a mais barata primeiro. Por exemplo: se você tem dúvidas entre a importância de pagar a TV a cabo ou o *streaming* de vídeo, coloque o que for mais barato primeiro.

Eu sugiro isso porque o objetivo deste exercício é te ajudar a cortar despesas. E, se você listar em ordem de prioridade, vai ser mais fácil cortar de baixo para cima.

1	R$

2	R$

3	R$

4	R$

5	R$

6	R$

7	R$

8	R$

Separando o joio do trigo... ou ativos e passivos

Você tem uma lista atualizada de passivos e ativos? Passivos são despesas, como empréstimos para compra de automóveis, um carro que você tem mas não usa, uma casa na praia que frequenta uma vez por mês... São bens que te oneram mais do que te desoneram.

Mas tudo isso pode também ser ativo se você encarar de outra forma. Um carro que você não usa é passivo, mas vira ativo se você for um motorista de aplicativo nas horas vagas. A casa na praia dá muita despesa, é difícil de vender (baixa liquidez), mas pode gerar uma renda extra se você alugar por temporada ou nos finais de semana em que não estiver usando.

Independentemente da categoria em que cada um se encaixa, você quer comprar sempre ativos, não passivos.

ativos são investimentos; passivos são despesas

CONTEÚDO – GASTAR BEM

caso 1

passivos

Apartamento na praia
Condomínio:
R$ 500
IPTU:
R$ 250
Despesa mensal:
R$ 750

ativos

Aluguel de dois finais de semana por mês:
R$ 880
Ganho líquido:
R$ 130

caso 2

passivos

Carro
Seguro:
R$ 150
IPVA:
R$ 150
Despesa mensal:
R$ 300

ativos

Renda com aplicativo:
R$ 450
Ganho líquido:
R$ 150

A pegadinha do crédito

O crédito é inacessível para muitos brasileiros e caro para quase todos. A taxa de juros no Brasil caiu muito nas últimas décadas, mas ainda está entre as maiores do mundo. Outros custos e o *spread* bancário (quanto o banco cobra a mais no crédito para assumir aquele risco e ter lucro) tornam os juros muito elevados.

Eu gosto de falar disso para que você avalie muito bem antes de fazer qualquer aquisição financiada. Vale a pena comprar aquele bem e pagar mais por ele? Ele vai te trazer benefícios?

Como no exemplo anterior, se você tirar renda do bem, possivelmente para pagar até o financiamento dele, pode valer a pena. Do contrário, você pode acabar pagando duas vezes pelo mesmo ativo.

Veja alguns exemplos a seguir. As ilustrações mostram a proporção entre o que você paga e o valor real do objeto. Em alguns casos, com o financiamento do automóvel, a diferença ainda não considera que o bem (o veículo) vai depreciar quando você terminar de pagá-lo. Será que vale a pena pagar essa prestação ou o melhor é juntar o dinheiro gradualmente?

Investimento é uma conta que tem que ser paga

Considere seu investimento como uma conta que você tem que pagar todos os meses. Uma conta prioritária, como as despesas de supermercado. Se você paga essa conta logo no começo do mês, o seu investimento não cai na cilada de virar um dinheiro que você *só aplica se sobrar*.

E de quanto é essa conta? Depende da sua meta. Para todo problema, há uma solução.

primo pobre X primo rico

CONTEÚDO – GASTAR BEM

 carro

 celular

 imóvel

 viagem

 valor pago   valor real

Teste do sacrifício de dez anos

Primeiro milhão sem sacrifício. Será?

Dedicar somente 10% do salário do mês para investir pode ser muito pouco se você quiser aproveitar os benefícios desse primeiro milhão ainda jovem. Vai ser preciso fazer sacrifícios agora para antecipar esse processo.

Investir pouco é possível, mas é difícil ficar rico assim.

Rita Graczyk é uma faxineira aposentada que sonhava em ter a própria casa. Essa era a sua meta. Ambiciosa ou não, ela

sabia exatamente aonde queria chegar. Então apertou os cintos e começou a fazer duas faxinas por dia, todos os dias da semana.

Ela também economizava tudo: acordava mais cedo e ia a pé para o trabalho, para economizar o dinheiro da passagem de ônibus; pagava todas as contas em dia para não pagar juros e jamais gastou mais do que ganhava. Para dar conta do trabalho em duas casas, ela ficava o tempo todo de olho no relógio. Rita falou em diversas entrevistas que precisava economizar tudo, até tempo. E foi assim que comprou seu apartamento.

Metas bem definidas te ajudam sem te engessar, porque fazem você saber exatamente aonde quer chegar. Cada coisa que pensa em comprar entra na disputa com sua meta.

Mas, se você é parte das pessoas que não conseguem economizar mais, e há muitas razões para isso, como salário baixo e despesas engessadas, vai ser preciso aumentar a sua renda, como a Rita fez. Na parte do *Método financeiro do Primo Rico* dedicada a ganhar mais, você vai encontrar ferramentas para isso.

Ou você ajusta o seu objetivo para a sua realidade, ou faz um sacrifício maior, ou começa a ganhar mais dinheiro.

Investir pouco é possível, mas é difícil ficar rico assim.

Investir melhor

Seu dinheiro merece respeito!

Benjamin Franklin disse uma frase que nunca fica velha: INVESTIR EM CONHECIMENTO PAGA OS MELHORES JUROS. Investir em especializações e estudar te ajudam a valer mais e fazem o seu esforço render mais. Mas investir em conhecimento também significa aprender a investir melhor o seu dinheiro.

Só 1% das pessoas consegue parar de trabalhar e manter a mesma qualidade de vida que tinha quando estava trabalhando. A maioria não pensa na aposentadoria. Se você está lendo isso agora, é porque pensa. E eu vou te ajudar a fazer parte dessa nata!

Investimento tem que ser feito com inteligência, para que você maximize seus ganhos. E para isso você vai precisar balancear risco, retorno e liquidez.

Para tomar decisões certas, você não precisa virar um *expert* e saber de todos os tipos de investimento. Você precisa entender as opções disponíveis no mercado, se aprofundar em algumas que mais combinam com o seu perfil e tomar suas decisões com consciência.

A primeira regra é nunca perder dinheiro. A segunda é nunca se esquecer da primeira.
— Warren Buffett

Seu tempo vale dinheiro. O cuidado em investir certo, em aplicações que te dão um retorno maior com risco adequado ao seu perfil e às suas metas, te ajuda a ganhar tempo de investimento e mais retorno. Se estamos falando de sua aposentadoria, daqui a vinte ou trinta anos, imagine perder dez anos de investimento porque você decidiu colocar seu dinheiro em algo que rende muito pouco, como a famigerada poupança?

A cada conquista, um novo plano

ada conquista abre espaço para um novo objetivo. Você ficará mais forte e seguro à medida que aumentar investimentos bem-feitos.

O *Método financeiro do Primo Rico* te ajudará a traçar um plano de longo prazo, e por isso você tem que levar em conta decisões de alto impacto para suas finanças ao longo da vida. São os gastos volumosos que vão influenciar essa trajetória e o sucesso do seu plano. Quer alguns exemplos?

- comprar um imóvel e financiar a maior parte dele;
- fazer a viagem dos sonhos sem ter dinheiro para arcar com todos os custos;
- comprar um carro financiado;
- ter filhos sem antes fazer um planejamento familiar.

Só você vai poder dizer qual a melhor decisão a ser tomada sobre esses grandes eventos, e há fatores psicológicos que não podemos ignorar. Você pode achar difícil, por questões biológicas, esperar mais oito anos para ter um filho em condições financeiras ideais. Comprar um imóvel próprio é o sonho da sua vida e te dará uma tranquilidade emocional, ainda que não faça sentido financeiramente. Então é possível que você coloque esse investimento como prioridade antes mesmo de reunir o capital adequado. Não somos máquinas!

Mas meu objetivo é te ajudar a ter consciência das suas condições financeiras e fazer um planejamento mais acertado antes de tomar qualquer decisão. Você vai fazer uma escolha melhor se tiver mais informações, e o planejamento financeiro pode ser o diferencial quando você tiver que optar por esta ou aquela alternativa.

Sem contar que, com tudo isso claro na sua mente, você também ficará mais seguro com qualquer decisão que tomar.

"Um investidor sem objetivo é como um viajante sem destino", teria dito Ralph Seger, um dos primeiros a desenvolver metodologias de investimento.

Planejamento equilibrado

Quando falo em investir bem e cuidar do dinheiro, o que quero dizer é que você tem que balancear seus investimentos em ativos que te deem uma diversidade de vantagens.

Recomendo que você distribua seus recursos entre alternativas de investimento que te dão liquidez para cobrir necessidades urgentes e ativos de maior rentabilidade, ainda que com maior risco, que vão te dar um patrimônio maior no futuro.

A minha filosofia de investimentos distribui os recursos entre categorias. Dentro de cada uma, há várias opções de ativos, e você pode escolher diversos deles. Vamos falar sobre cada uma nas próximas páginas.

Vale lembrar que, no glossário ao final do livro, você encontra explicações sobre os diversos tipos de investimento. E eu gostaria de lembrar que você precisa ter paciência com os ativos em que você investe com objetivo de longo prazo, principalmente as ações.

Olhar o vaivém diário de preços vai te deixar ansioso e inquieto. Mas lembre-se de que o objetivo está no futuro, às vezes décadas à frente, quando você vai poder ver o preço e os dividendos e juros sobre capital próprio que tiver recebido.

Sem sobressaltos

Como já mencionei, primeiro você precisa cuidar do presente para depois olhar para o futuro. Por isso, no começo, o melhor é formar seu fundo de emergência – que eu particularmente gosto de chamar também de fundo de oportunidade.

Esse é aquele dinheiro do qual você pode lançar mão rapidamente para cobrir uma despesa inesperada, como a perda

Você precisa ter paciência com os ativos em que você investe com objetivos de longo prazo, principalmente as ações.

CONTEÚDO – INVESTIRMELHOR

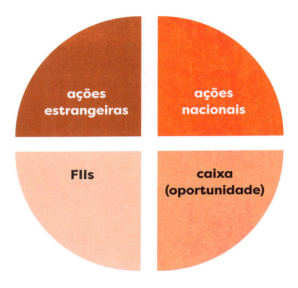

- não há nada mais lucrativo do que negócios em dólar
- não há nada mais lucrativo do que negócios
- aporte mensal
- não há nada pior do que passar por uma crise sem dinheiro para aproveitar as oportunidades

do emprego, um tratamento médico, um conserto não planejado da casa ou do carro, ou até mesmo para aproveitar uma oportunidade imperdível para trocar de apartamento ou investir em um novo negócio que te trará mais renda. Não existe oportunidade desperdiçada. Se você não aproveitá-la, alguém vai fazer isso.

Ter esse fundo vai te garantir tranquilidade em uma emergência. É ele que vai te ajudar a passar por uma situação às vezes traumática sem ter que fazer um empréstimo, o que aumentaria ainda mais o seu estresse.

O Brasil tem hoje uma das maiores taxas de desemprego da sua história. São milhões de trabalhadores desocupados,

Não existe oportunidade desperdiçada. Se você não aproveitá-la, alguém vai fazer isso.

muitos deles demitidos do dia para a noite. Perder o salário repentinamente pode te desequilibrar profundamente.

Mas as notícias que causam tumulto financeiro não são apenas ruins. Tudo pode estar bem, e você descobre que vai ter um filho. É um sonho antigo, mas que gera despesas extras que podem prejudicar sua vida financeira se não tiver sido planejado.

O que o fundo de emergência te oferece é a tranquilidade nesse primeiro momento. Com ele, você sabe que não precisa se preocupar com dinheiro no início e pode focar sua energia em resolver o problema que surgiu ou em lidar com aquele novo cenário de família maior.

Ninguém consegue prever tudo que vai acontecer em sua vida. Ter uma reserva que cubra essas despesas imediatas te libera para focar seus esforços em resolver outros problemas. Depois que você entende seu orçamento e tem consciência de quanto gasta por mês para manter sua vida andando, pode calcular quanto precisa ter nesse fundo.

O fundo de reserva pode ter outra função também. Quando tudo está correndo bem, ele pode te dar a chance de aproveitar oportunidades que não surgem o tempo todo.

Por exemplo: você sempre sonhou em ampliar seu negócio, mas precisa de um maquinário especial e não tem dinheiro para comprá-lo. Então, a empresa que fabrica esse equipamento decide mudar a sede para outra cidade e faz uma queima de estoque. É a oportunidade de você comprar a mesma máquina pela metade do preço, e isso será possível se você tiver um fundo de emergência.

Não há motivo para não investir nisso e melhorar sua rentabilidade. O importante é que você reponha o dinheiro no fundo depois, para o caso de alguma nova necessidade inesperada.

Disponibilidade com baixo risco

O seu dinheiro para emergências precisa estar investido em ativos que sejam facilmente resgatáveis, ou de alta liquidez. Porque você pode precisar lançar mão dele de uma hora para outra e não vai poder esperar muito tempo para ter o dinheiro em mãos. As aplicações que fazem sentido para esta etapa também devem ter baixo risco, porque não adianta você investir num fundo que pode perder valor em uma crise.

Outra característica importante que você tem que levar em consideração é o custo do investimento. Os recursos do seu fundo de emergência não devem ser desperdiçados em taxas de administração ou custos de operação altos.

Alta liquidez e baixo risco significam investimentos com rentabilidade mais baixa. Mas o seu objetivo não é ficar rico com o fundo de emergência, então tudo bem que seja assim.

Mas um alerta: o seu investimento do fundo de emergência tem que render mais que a inflação, ou seja, ter rendimento real.

**papel na carteira
sobrevivência e oportunidade**

**como escolher
liquidez
rentabilidade
custos**

As três principais opções de investimento para o seu fundo são:

Tesouro Selic: título do governo com baixa volatilidade e opção de recompra diária.
Fundos DI: fundos de renda fixa atrelados quase em sua totalidade a títulos da dívida federal.
CDB: título de renda fixa emitido por um banco para captar recursos que ele empresta aos clientes.

Você encontra uma explicação melhor das características de cada um deles ao final do livro, no glossário.

Liberdade: a questão não é a idade, mas a renda

objetivo dos seus investimentos visando à liberdade financeira não é o mesmo do fundo de emergência. Estes recursos estão voltados para o futuro, para médio ou longo prazo. Por isso, eles devem estar distribuídos em ativos variados e com rentabilidade maior, risco mais alto e liquidez menor.

Quanto maior a rentabilidade, maior o seu resultado final. No longo prazo, isso fará muita diferença.

E quanto dinheiro você tem que ter investido para se aposentar com tranquilidade? Esse é um exercício que você pode fazer para saber o volume de dinheiro que tem que acumular. Na aba "Supergráficos", você encontra uma tabela com os valores que precisa investir para chegar à sua meta.

Lá no seu planejamento mês a mês, existe um espaço só para você preencher quanto já completou do seu fundo para a liberdade financeira. Assim como você deve fazer no espaço dedicado ao fundo de emergência, acompanhe esse avanço mês a mês e cuidadosamente para avaliar seu desempenho.

Triângulo de Nigro

Sabe o que os investidores fazem de mais comum na hora de decidir onde colocar o dinheiro? Olham a rentabilidade para escolher a melhor opção. E, com isso, caem em uma armadilha, que vou explicar agora, porque não quero te ver cometendo esse mesmo erro.

A dificuldade em calcular a rentabilidade existe porque você precisa fazer uma projeção de retorno. E qualquer erro na hora de calcular isso pode te afastar de investimentos bacanas e tornar mais atraentes os investimentos medianos.

Também é muito comum, na hora de calcular, você considerar que a rentabilidade daqui a dez, vinte ou trinta anos será igual à de hoje. Mas ela sempre muda e, muitas vezes, para pior. Outro erro clássico é se esquecer de considerar o imposto de renda, ou ainda descontar a inflação da rentabilidade com uma subtração simples.

No caso de ações, os ganhos também são imprevisíveis, porque, além da variação do preço do papel, você não pode prever quanto vai receber em dividendos ou em distribuição de juros sobre capital próprio, e eles contam muito para a rentabilidade. O dinheiro é seu, e o maior interessado em vê-lo se multiplicar é você.

Eu criei uma fórmula para simplificar essa decisão. Não inventei a teoria, mas o que apelidei de Triângulo de Nigro deve facilitar a avaliação de aplicações no mercado financeiro.

A fórmula leva em consideração três aspectos de atenção: risco, liquidez e rendimento. As três pontas estão intimamente ligadas: se um investimento é mais arriscado, ele deve ter vantagens em termos de liquidez e retorno. Se o retorno for baixo, a liquidez e o risco devem compensá-lo. Ao mesmo tempo, pode valer a pena

Não existe "dica quente" no mercado. O investidor astuto não compartilha as operações que podem ser mais vantajosas para ele.

colocar parte do seu dinheiro em um ativo pouco líquido, mas que te dê um retorno maior com risco compatível se você tiver segurança de que não vai precisar daquele dinheiro no curto prazo.

Outro aspecto importante é investir somente naquilo que você consegue entender. Você vai receber, em algum momento, alguma oferta mirabolante que parece uma oportunidade de ouro. Se não entender o que aquele investimento significa, caia fora.

Risco, liquidez e rentabilidade

Você está equilibrando bem a rentabilidade com o risco e a liquidez dos seus investimentos? Este é o grande desafio de investir.

Pensando nisso, quero te propor um exercício. Separe os investimentos que você já tem e coloque cada um dentro do Triângulo de Nigro. Acrescente um título público para servir de parâmetro, já que eles são os investimentos mais seguros e conservadores do país. Se o seu investimento tiver o mesmo retorno do título público, mas com risco maior ou liqui-dez pior, sua escolha não faz sentido.

Isso vai te ajudar a rever o seu plano de investimentos, o que deve ser feito de tempos em tempos, porque a rentabili-dade de cada aplicação não continua igual por toda a vida. Muitas vezes, ela piora.

Recomendo que você repita esse exercício toda vez que for decidir onde investir seu dinheiro. Coloque as opções de aplica-ção disponíveis dentro do triângulo para ver se o que você está planejando faz sentido e qual a melhor opção em termos de rendimento, liquidez e risco.

liquidez

rendimento   risco

Até a Muralha da China começou com um tijolo

Quando você investe, e isso pode estar acontecendo pela primeira vez agora, é preciso agir com inteligên-cia. Novamente, ninguém está falando em você se tornar um *expert* em investimentos. Estou falando de você observar bem onde está colocando seu dinheiro, pensar em como vai usá-lo no curto ou no longo prazo e decidir em que investir.

Todo mundo erra, e os sábios aprendem com os erros e se-guem em frente.

As três variáveis que formam as pontas do Triângulo de Ni-gro são importantes, e você precisa ajustá-las às suas necessidades. Se o seu investimento hoje é de R$ 200 mil e o seu fundo de reserva é de R$ 30 mil, você já sabe que pelo menos 15% dele deve ficar em ativos de alta liquidez e baixo risco.

E o restante? Depende de onde você pretende usar esse dinheiro.

Se outros R$ 20 mil forem para fazer uma viagem dos sonhos daqui a dois anos, você tem que investir a parte referente a esse gasto em algo que poderá resgatar no médio prazo. Se todo o restante for para a aposentadoria, pense em algo de longo prazo, talvez com um risco um pouco maior que te confira mais rendimento.

Ao longo da sua trajetória rumo à sua liberdade financeira, você vai precisar fazer exercícios de autoanálise diversas vezes e, provavelmente, redistribuir seus investimentos com base nos seus objetivos.

Vale lembrar que esses objetivos podem mudar. Hoje, fazer um MBA no exterior pode não estar nos seus planos. Mas amanhã isso pode se tornar um sonho. O exercício repetido de tempos em tempos serve também para adequar seus investimentos aos seus objetivos.

Recomendo que sua carteira de investimentos seja simples e formada por poucos ativos que você entenda bem. Assim, você diversifica seu capital sem pulverizá-lo e tem como tomar decisões de forma rápida e eficiente.

Colocar no papel sua meta e traçar um primeiro plano de voo é o primeiro passo para chegar lá.

sforço não gera riqueza. O que gera riqueza é mérito. Essa é a base do *mindset* que você deve ter para atingir seus objetivos de investimento, ganhar dinheiro e conquistar sua liberdade financeira.

Se você for um empregado contratado por uma empresa, não basta ser pontual, empenhado e cumprir tudo o que está incumbido de fazer para ser valorizado. É preciso trazer resultados para seu empregador. É assim que ele vai te valorizar, e é isso que vai incentivá-lo a te premiar. SEJA UM *EXTRA MILE*: ENTREGUE SEMPRE MAIS DO QUE É ESPERADO.

Mas não estamos falando em trabalhar mais horas. Seu tempo é dinheiro, e toda hora adicional que você tem, além do trabalho, deve ser usada para seu enriquecimento pessoal, seja para gerar mais renda, seja para você se aperfeiçoar... e no futuro gerar mais renda.

Quando eu era consultor de investimentos, percebi que 80% dos meus resultados eram originados por 20% dos clientes. Eu tinha milhares de clientes e gastava a maior parte do tempo com uma grande parcela deles que me rendia poucos ganhos. Quando percebi isso, mudei meu foco: usei esse tempo que gastava com clientes que geravam poucos ganhos para prospectar novos clientes tão rentáveis quanto aqueles 20% que eu tinha.

Ganhar mais para quê?

Por trás de todo objetivo, existe um propósito. Essa é a força que vai nos engajar a buscar nossas metas. E com suas finanças não deve ser diferente. Por que você quer ganhar mais? A resposta a essa pergunta é individual. A minha motivação não é a sua motivação.

Júlia quer ganhar mais dinheiro para poder pagar as contas em dia e matricular o filho numa escola particular. César mantém uma vida simples e não tem contas em atraso, mas não tem um suporte financeiro para alguma emergência nem bens de família. O que o motiva a ganhar mais é conseguir fazer um colchão financeiro para a velhice ou para alguma eventualidade. Roberto é empreendedor, tem uma renda elevada, mantém um padrão de vida médio e paga suas contas, mas sua grande motivação para enriquecer é o reconhecimento de sua família tradicional de imigrantes portugueses.

Sua motivação também vai variar ao longo da vida, dependendo do seu momento. Pode ser que sua motivação agora seja necessidade e amanhã seja o status social. Isso pode também ir e vir ao longo dos anos, porque estamos sujeitos a crises e à má ou à boa sorte, que podem mudar o cenário.

Eu separo as motivações na área financeira em três categorias, que explico a seguir. Em qual você se encaixa neste momento? Já esteve em outros níveis no passado?

nível 1: **Necessidade**

Dinheiro serve, acima de tudo, para suprir nossas necessidades. Claro que o montante necessário para isso varia para cada pessoa, dependendo de onde mora, da composição familiar e do padrão de vida. Mas, independentemente da quantia necessária, todo mundo tem que pagar contas, alimentação, escola, remédios e outras necessidades básicas. No começo da vida, esta é a motivação que movimenta praticamente todos nós.

nível 2: **Extrínseca**

Nem tudo que nos motiva vem da nossa necessidade interior, dos nossos desejos pessoais. Às vezes, o que nos motiva são fatores externos e sociais, como um bônus, um prêmio ou um treinamento para aperfeiçoamento. A motivação extrínseca colabora para te manter motivado e é muito usada pelas empresas para manter o engajamento dos funcionários. Muitas pessoas são dependentes de estímulos externos, como reconhecimento dos colegas e da família.

nível 3: **Intrínseca**

A motivação intrínseca é sua força interior, o combustível que te faz levantar todos os dias determinado a galgar mais degraus rumo à sua meta. São seus interesses e desejos pessoais e individuais, seus gostos e suas prioridades.

Empregado: há um espaço vazio à sua espera

Todas as áreas da sua vida oferecem oportunidades, e você vai aproveitá-las se estiver preparado para isso. É preciso que esteja antenado e pronto para quando elas surgirem. Se não aproveitá-las, outra pessoa certamente o fará em seu lugar, mesmo que não tenha as mesmas habilidades que você.

Quando você é parte de uma empresa ou de um time, pode assumir três posturas diferentes: ser o profissional eficiente que faz tudo que lhe cabe; ser o profissional arrojado que faz tudo que é proibido, muitas vezes de forma caótica; ou ser a pessoa que cumpre suas tarefas, mas olha as lacunas existentes, propõe soluções e se esforça para resolver problemas ou melhorar as condições operacionais da empresa.

Preencher lacunas é a ponte que te levará a um nível acima dentro da empresa ou em sua vida. O profissional que faz isso tem que ter sensibilidade aguçada, desenvolver a autoliderança e a automotivação. Você não vai receber elogios o tempo todo. Você precisa se motivar. Pode ser que a empresa não esteja preparada para te absorver nesse papel proativo, mas oportunidades surgirão em outros lugares.

O conhecimento e o preparo vão lhe conferir autoridade perante as pessoas. Mesmo sem ser "chefe", é possível construí-la por meio de habilidades técnicas, talentos e *branding* pessoal. E essa autoridade vai aumentar suas chances de ganhar mais.

Oportunidades não desaparecem, elas só mudam de lugar.

Todas as áreas da sua vida oferecem oportunidades, e você vai aproveitá-las se estiver preparado para isso.

A autoridade, aliada à competência de execução, também vai te conferir mais liberdade de atuação. Você não sofrerá tanta ingerência quanto outras pessoas que não apresentam essas características. O reconhecimento virá naturalmente.

O desenvolvimento de sensibilidade, autoliderança, automotivação e autoridade vai servir para você trabalhar em prol de suas ambições pessoais. Em um primeiro momento, pode parecer que você está revertendo essas habilidades para a empresa em que trabalha, mas, no médio e no longo prazo, o maior beneficiado será você. Essas características vão te ajudar em vários aspectos da vida, principalmente a aumentar seus ganhos.

Plano de ação para a construção da autoridade

A seguir você encontra alguns pontos para reflexão. O objetivo é que, depois de pensar nestas perguntas, você encontre caminhos para ter mais reconhecimento no que faz, seja como funcionário de uma empresa, seja à frente de seu próprio negócio.

Definindo suas prioridades

Estamos falando, desde o início do livro, que você precisa traçar seus objetivos e colocar prioridades para alcançar suas metas. E na sua vida profissional não é diferente!

É preciso traçar um plano para saber como agir. Você provavelmente tem muito que fazer, em casa e no trabalho, mas novas demandas continuam surgindo.

A matriz Eisenhower ajuda muito neste processo de decisão do que não pode ser adiado ou deixado de lado. Você já sabe quais são seus objetivos e deve ter em mente as principais ações para atingi-los. Agora pode classificá-los por prioridade, de acordo com o esquema a seguir.

O criador dessa ferramenta, Dwight Eisenhower, o 34º presidente dos Estados Unidos, dizia que "o que é importante raramente é urgente, e o que é urgente raramente é importante".

Você precisa decidir o que deve ser feito imediatamente e o que pode ser deixado para depois. Será que você pode delegar algumas etapas ou atividades? E o que não é essencial e pode ser deixado de lado?

Na sua agenda mensal, você vai poder preencher novamente a matriz Eisenhower, fazendo ajustes regulares do que é prioritário e do que não é.

	urgente	não urgente
importante	**Faça agora** prioridade 1	agende
não importante	delegue	elimine

Agora é a sua vez!

	urgente	não urgente
importante		
não importante		

CONTEÚDO – GANHAR MAIS

Seu lugar

Um rinoceronte e um cabrito filhotes foram criados juntos em um centro de proteção a animais ameaçados em Pretória, na África do Sul. Os dois animais brincavam juntos, até que o rinoceronte começou a imitar os pulos do "amigo" cabrito. Mas ele não tinha pernas longas, nem agilidade para isso. Cada pulo era um estrondo. E, enquanto o cabrito saltava de um lado para o outro, o rinoceronte olhava.

Seres humanos são capazes de imitar muitos seres vivos também. Mas partimos de um ponto e, dentro de nossas condições, temos que encontrar maneiras de pular ou nos divertir como o cabrito, ainda que "falte perna".

A trajetória e as condições da sua vida profissional seguem a mesma lógica. Se você é um empregado contratado de uma empresa ou do governo, vive em uma situação muito menos volátil do que se fosse empreendedor, empresário ou autônomo. Por outro lado, sua perspectiva de renda e, consequentemente, riqueza é mais limitada.

Isso porque é no empreendedorismo e no trabalho autônomo que você tem mais liberdade para criar, se deslocar, mudar. E uma maior escala de frentes de trabalho e ação.

Todas essas condições são importantes. A estabilidade é uma vantagem enorme, principalmente em um país cuja economia sofreu tantos revezes ao longo de décadas, com índices de inflação que corroíam a renda de todo mundo à velocidade da luz.

Isso pode ser usado a seu favor, se as perspectivas de crescimento são mais lentas dentro do seu trabalho. Na verdade, nada te impede de ter uma renda adicional. O que precisamos saber é como dar o maior salto com as pernas que temos.

Funcionário: mais estabilidade, menos liberdade

Fazer parte do quadro de uma empresa ou do governo, em qualquer esfera, automaticamente significa que você está sujeito às leis do poder. Ou seja, há uma pessoa hierarquicamente acima de você que não vai ceder sua posição e com quem vale mais ter uma relação harmônica e produtiva.

Ao mesmo tempo que não quer ofuscar o brilho do seu chefe, você tem que mostrar seu valor e a propriedade que tem sobre os assuntos que trata. É o seu valor àquela instituição que vai te proporcionar chances de crescimento.

Há também espaços vazios que podem ser preenchidos em algumas organizações. Você pode executar funções que estão descobertas e assim mostrar habilidades úteis para a equipe da qual faz parte.

A grande vantagem do emprego fixo, seja CLT ou no funcionalismo público, é ter mais estabilidade. Mas a grande pegadinha da estabilidade é a acomodação. Pessoas passivas e acomodadas não saem do lugar. Metas confortáveis geram profissionais medíocres. Você nunca moverá o mundo se não mover nem a si mesmo.

Para ganhar mais dinheiro, que nos empregos fixos se traduz basicamente em promoções, aumentos de salário e bônus, é preciso entregar mais.

Você nunca moverá o mundo se não mover nem a si mesmo.

Renda vai além de salário

Aumentos de salário não são a única opção para ganhar mais. Você pode pedir flexibilidade de horários, mais dias trabalhando de casa para economizar tempo e despesas de deslocamento ou algumas horas da sua jornada para estudar. Se você for muito produtivo e desempenhar a sua função em menos horas do que se esperaria, esse benefício pode fazer sentido para a empresa.

Para conquistar um aumento, a negociação tem que ser vista muito mais como um convênio do que como uma simples mudança de contrato. Nos convênios, as mudanças são boas para todos.

Muitas companhias estão adotando políticas mais flexíveis para que os funcionários tenham condições de trabalho mais atraentes. Essa também é uma maneira de reter talentos, e você pode se beneficiar disso. Basta ser e mostrar que é este talento que merece ser mantido.

Em todo esse processo de negociação, tenha em mente que você precisa escutar antes de agir. Suas estratégias podem ser formuladas e postas em prática quando forem adequadas. Para isso, recomendo que você esteja atento às movimentações e ao discurso do seu superior e da empresa para saber em que momento uma ação de sua parte vai ter efeito mais benéfico.

Empreendendo para si mesmo

Empreender, trabalhar por conta ou ser empresário é uma decisão que desafia, primeiro, a nós mesmos. O que nos faz dar o pulo mais alto nessa situação, como o cabrito amigo do rinoceronte, é o diferencial do que oferecemos.

O objetivo é vender mais caro, para mais pessoas e mais vezes. E só conseguiremos fazer isso se tivermos um produto com algo a mais, seja na qualidade, seja na entrega ou em alguma outra característica. Agregar valor a algo abre espaço para elevarmos o preço cobrado pelo bem ou pelo serviço.

É possível aumentar nossa receita se ampliarmos os canais de distribuição dos nosso produtos e criarmos condições para que a demanda por eles seja mais frequente.

O que faz diferença na demanda pelo que ofertamos é a razão para aquele produto existir. Por que você compraria aquele computador? Porque ele facilitaria sua vida de usuário com uma manutenção mais espaçada e simples. Vale a pena contratar aquele serviço se ele te permitir liberar mais tempo para outras coisas e te ajudar a economizar com deslocamento. O motivo, e não o produto, é o maior atrativo.

Há uma diferença grande no que oferecemos como empresários, empreendedores e autônomos: quanto acreditamos que aquele produto ou serviço é importante. Isso vai determinar nossa dedicação àquele empreendimento para melhorar sempre em todos os aspectos.

Isso não quer dizer que você tem que insistir em sua ideia a qualquer custo. Talvez precise fazer ajustes. O que você não deve é desistir.

Escala é a escada para o sucesso

Se você for proprietário do seu negócio, quero enfatizar que você deve sempre pensar em como conseguiria fazer mais vezes o que está fazendo. E provavelmente a resposta é investir: seja na contratação de uma equipe maior, na compra de equipamentos mais produtivos ou em um processo de produção, de vendas e de entrega mais eficientes. Não se esqueça de que você pode ter ajuda também no desenvolvimento e na criação de produtos.

A escala do seu negócio é o que vai aumentar sua renda. Se você oferece serviços, pode contratar mais pessoas para fazer o mesmo, sob seu treinamento e orientação. O tempo que leva para prestar o serviço pode ser usado para orientar diversos profissionais e equipes e ampliar a quantidade de contratações. Um processo bem organizado te ajuda a ganhar tempo e reduzir custos, o que significa mais lucro e renda. As pessoas acabam preferindo serviços entregues com maior agilidade.

O mundo, e consequentemente a economia, está evoluindo mais rápido do que nunca. Em 1850, o ferreiro sabia que continuaria tendo demanda por seus serviços até o fim da sua vida profissional. Hoje não. Ter um carro, que era objeto de consumo e tornava a vida mais fácil, já não é imprescindível com os aplicativos, o que está mexendo com as estratégias das montadoras de veículos.

Para continuar sendo competitivo e atraente, é preciso se manter atualizado e se reinventar. O investimento em escala e a inovação são imprescindíveis.

Qual foi o último investimento que você fez em você ou na sua empresa? Em que deveria investir?

Diversificar a renda para construir o futuro

Salários são importantes, mas dificilmente você vai alcançar a riqueza somente com o seu pagamento mensal. Para ser rico, vai precisar diversificar suas receitas. E uma ótima maneira de fazer isso é o que eu venho defendendo ao longo de todo este método: investimentos em qualquer uma de suas formas.

São as aplicações em ações, debêntures, previdência e imóveis que vão gerar ganhos de capital e dividendos, que por sua vez vão te ajudar a aumentar o seu patrimônio. Pessoas ricas nunca possuem apenas uma fonte de renda.

Outra forma de fazer sua renda crescer é por meio do empreendedorismo. Acredite em você. Quando, ao longo das últimas páginas, você listou e pensou em seus pontos fortes para pedir um aumento ou uma condição de trabalho diferente, você estava também fazendo um exercício de empoderamento pessoal. Essas qualidades são suas e você as carrega todos os dias, para onde for. Também são características que muitas pessoas não têm e das quais gostariam de usufruir. Isso significa que as pessoas podem te gerar renda e riqueza, sejam quais forem as habilidades que você tem a oferecer.

Pense que você pode manter seu trabalho e ter uma renda extra, seja ensinando pessoas a administrar suas finanças, seja dando aulas de algum idioma, preparando alguma comida para vender ou até ajudando algum outro empreendedor a administrar suas redes sociais e fazer marketing digital. Para nada disso você precisa de capital para investir. Mas, se tiver capital, pode até começar um negócio.

Ao longo da minha jornada, enxergo oito aprendizados marcantes que quero compartilhar com você. Eu aprendi essas coisas à força. Mas você já está sabendo agora, ou seja, já sai adiantado.

pessoas ricas nunca possuem apenas uma fonte de renda

você sempre fará alguma coisa melhor do que as outras pessoas

8 aprendizados

1) Você vai querer o caminho mais fácil

É fato, muitas pessoas vão querer te jogar para baixo ao longo da sua trajetória. Dirão que você não é capaz, ou que não tem habilidades suficientes, ou que sua hora já passou. Isso se repetirá tantas vezes que você pode pensar, em algum momento, que é realmente verdade. E vai acabar cogitando ficar onde está, mesmo que isso não te deixe satisfeito e esteja muito distante dos seus sonhos.

Não deixe que críticas externas te tirem da sua trajetória. E, acima de tudo, não desista.

Lembre-se de que Diego Costa foi rejeitado por diversos times de futebol quando tinha 17 anos. Corinthians, Palmeiras e Santos diziam que já tinham muitos jogadores como ele em seus quadros e o dispensaram. Ele acabou indo para a Europa e foi contratado pelo Braga, de Portugal. Diego nunca imaginara que um dia vestiria a camisa da seleção espanhola.

Talvez algumas dessas críticas te ajudem a desenvolver aspectos que te farão alcançar seus objetivos. Mas, independen-

Não deixe que críticas externas te tirem da sua trajetória. E, acima de tudo, não desista.

temente disso, persista e use cada fracasso como aprendizado ou como mais um degrau para o sucesso.

2) A oportunidade pode vir disfarçada

Persistir vai te render frutos, às vezes de onde você nunca imaginou. Você pode estar fazendo o seu trabalho com primazia, mas sem crescer. Não recebe promoções e seu salário permanece estagnado.

Nem por isso deixe de investir em conhecimento, cursos, em conversar com as pessoas e participar de reuniões e eventos. Todo aprendizado pode se reverter em ganhos. Às vezes, um curso totalmente distante da sua função pode ser exatamente aquele de que a empresa precisa.

Há diversos casos assim. Um programador em uma empresa de tecnologia está na mesma situação há tempos. Mas decide fazer um curso de psicologia, porque é um assunto que lhe interessa. E, curiosamente, acaba se encaixando perfeitamente em uma vaga de gestor de uma área. O conhecimento de programação é secundário, porque ele vai ter muitos programadores em sua equipe. Aquilo de que ele mais precisa é capacidade de liderar um time.

3) Trabalhe para aprender

Em todo trabalho você vai aprender algo, e isso deve ser levado em consideração além do seu salário. Você está construindo seu *expertise*, sua experiência, moldando habilidades que vai carregar para sempre.

E essas habilidades vão além das normalmente descritas em sua profissão. Um advogado pode se tornar a melhor pessoa para representar uma empresa junto a um governo simplesmente porque ele aprendeu a mensagem que ela quer passar e sabe como falar com essas pessoas, ainda que não entenda quase nada da importância da atividade da companhia para a qual trabalha.

Na grande maioria dos trabalhos, você se relaciona com diversas pessoas com formações e funções muito diferentes. Todas terão algo a te ensinar.

4) Escala

Pense em como você pode ganhar escala em suas atividades. Se você empreende, será que o serviço prestado a uma pessoa pode ser replicado para outras com pequenos ajustes? A escala vai te ajudar a multiplicar sua geração de renda.

Pode ser que, para aumentar a escala, você precise investir antes. Mas há diversos exemplos de pessoas e empresas que aumentam a quantidade de clientes prestando o mesmo serviço com a mesma estrutura.

Outro ponto de atenção é notar quais clientes geram a maior parte da sua receita. Talvez alguns poucos sejam responsáveis por uma parcela dominante, mas você está dispersando seu foco entre todos, inclusive os que te trazem pouca renda.

No Brasil, onde as taxas de juros são historicamente altas e o acesso ao crédito sempre foi escasso, principalmente para pequenos empresários e empreendedores, muitas pessoas relutam em fazer empréstimos para investir. Mas, se isso for feito com sabedoria e planejamento, pode impulsionar seus ganhos e te ajudar a multiplicar o valor captado.

Uma rotina bem organizada também contribui para reduzir o desperdício.

Outra maneira de aumentar a escala é fazer parte de uma rede de pessoas que têm os mesmos interesses que você (ou criar uma). Hoje em dia, as redes sociais são ótimas ferramentas para isso. Foi pensando em relacionamento que Mark Zuckerberg criou o Facebook, e não há dúvidas de que havia demanda.

5) Tenha processos

Métodos e processos te ajudam a organizar o trabalho e tirar o máximo proveito dele e do seu tempo. Um trabalho bem organizado permite até que você trabalhe em vários projetos e atenda vários clientes ao mesmo tempo.

Uma rotina bem organizada também contribui para reduzir o desperdício, seja de insumos, seja de tempo de trabalho. Alguns empreendedores escalam com precisão a sequência de tarefas em suas produções. Assim, definem exatamente quando vão fazer peças, quando vão montar, dar o acabamento, embalar e preparar a entrega. Se eles anteciparem uma das etapas para um dos clientes, podem prejudicar todas as entregas dos demais. Vale lembrar que organização é uma habilidade muito valiosa, e muitas pessoas vivem disso hoje em dia, seja prestando serviços de consultoria na estruturação de processos de empresas, seja no suporte a famílias para organizar suas casas.

6) Leia livros

Tenha em mente que o aprendizado deve ser contínuo. Manter-se atualizado e ventilar novas ideias vão sempre te ajudar. Mesmo os casos de fracasso nos ensinam alguma coisa.

Elon Musk, da montadora de carros e empresa de satélites Tesla, disse que aprendeu a construir foguetes nos livros que leu.

Ler é um hábito fácil de adquirir. Você pode fazer isso em casa, deitado na cama, no ônibus indo ao trabalho, enquanto espera uma reunião, na antessala de um consultório médico. Isso sem falar nos audiolivros, que você pode escutar a qualquer momento.

Hoje existem opções de livros muito acessíveis. Você pode comprar um livro digital e baixá-lo imediatamente no seu computador ou no seu leitor digital. Também pode frequentar uma biblioteca ou comprar livros do mundo todo e em diversas línguas, pela internet.

Tenha em mente que o aprendizado deve ser contínuo.

7) Acredite nas pessoas

Ninguém consegue crescer sozinho. Você precisa de parceiros, sócios, clientes e fornecedores. Todo mundo está sujeito a tomar uma rasteira em algum momento, ou em vários momentos, e por isso precisamos ficar atentos. Com o passar dos anos, e depois de levar alguns tombos, vamos ficando mais duros e mais desconfiados.

Mas a vida em sociedade e os negócios como são feitos atualmente são interligados e conectados, exigem que confiemos nas pessoas para crescer e que identifiquemos seus valores e potenciais.

8) Mente mestra e o ambiente

Para atingir o sucesso é preciso ter um propósito definido, uma trajetória clara, e guiar os esforços neste sentido.

Também é preciso coordenar capacidades, intelectos e conhecimento e unir as pessoas em um ambiente harmônico, para que esse caminho seja trilhado com tranquilidade e o objetivo seja alcançado o mais rápida e facilmente possível.

Eu me espelho muito nos ensinamentos de Napoleon Hill, que fala de "mente mestra". Para ele, é impossível que duas mentes se unam sem que criem, consequentemente, uma terceira força invisível, intangível, comparável a uma terceira mente.

Ninguém consegue crescer sozinho. Você precisa de parceiros, sócios, clientes e fornecedores.

Para atingir o sucesso, é preciso ter um propósito definido, uma trajetória clara, e guiar os esforços neste sentido.

Glossário

Entenda um pouco os principais investimentos do mercado

O mercado te oferece muitas opções de aplicação. Das mais arriscadas às menos arriscadas, passando por ativos de alta e baixa rentabilidade e liquidez. Há um leque tão grande de alternativas que só com dedicação integral você conseguiria conhecer tudo – ou quase tudo. Mas provavelmente não é este o seu caso.

Ainda assim, acho essencial que você conheça as características das principais opções para poder escolher entre elas onde investirá seu dinheiro. Mas compare apenas o que é equivalente. Não dá para colocar um título público ao lado de uma ação e olhar somente para o rendimento ou para o risco de cada um. A diferença será gritante!

Há diversas instituições ofertando esses investimentos. Bancos tradicionais e digitais, corretoras, gestoras, assessores de investimento e robôs podem te apresentar diversos produtos.

Eles sempre vão "dourar a pílula" do que dá mais lucro para suas instituições. Esse é mais um motivo para você dedicar um pouco de tempo para entender as opções e as diferenças entre elas e não comprar gato por lebre.

Além disso, lembre-se das taxas de administração e da incidência de imposto de renda sobre muitos investimentos. Tudo tem que ser levado em consideração na hora de calcular o rendimento e o que se encaixa melhor no seu projeto de liberdade financeira.

A fatia da receita federal

Quanto você vai pagar de imposto em cada aplicação, lembrando que algumas são isentas e que o imposto só incide sobre a rentabilidade:

Alíquota (%)	Tempo de aplicação
22,5	Até 180 dias
20	De 181 a 360 dias
17,5	De 361 a 720 dias
15	Mais de 720 dias

Tesouro Direto

Os títulos da dívida do governo são os mais seguros do país. Também são fáceis de entender e aceitam investimentos com pequenos aportes, por isso muitas vezes são a porta de entrada para os investidores.

Mesmo apresentando baixíssimo risco e alta liquidez, não quer dizer que você estará totalmente livre de riscos ou perdas com esse tipo de título. Se você resgatar os papéis antes do vencimento, vai ter que arcar com alguma perda.

Outro fator importante é que incide imposto de renda sobre os investimentos em títulos do Tesouro Direto, mais uma taxa de custódia paga ao Tesouro de 0,25% ao ano.

Existem três principais títulos do Tesouro disponíveis no mercado, e entre eles há diversos vencimentos:

Tesouro Selic: atrelado à taxa Selic Over (que é um pouco inferior à taxa Selic estipulada pelo Comitê de Política Monetária do Banco Central), tem pouca oscilação e rendimento crescente. É muito indicado para investimentos de curto prazo ou para seu fundo de emergência, porque permite o resgate imediato.

Tesouro IPCA: este título tem rendimento atrelado à inflação – tendo o IPCA como referência – mais uma taxa fixa. É indicado para investimentos de longo prazo, porque garante uma manutenção do poder de compra do investidor, já que oferece um retorno acima da inflação e tem datas de vencimento mais distantes. Por conta disso, é uma boa opção para os seus investimentos com foco na aposentadoria.*

Tesouro Prefixado: como o próprio nome diz, este título está atrelado a uma taxa fixa. Por isso, vale a pena investir nele se você acha que a taxa básica de juros vai cair. Ele tem uma característica mais especulativa do que os outros.*

* O Tesouro IPCA e o Tesouro Prefixado pagam um cupom semestral, que é um pagamento dos juros duas vezes por ano, que você pode reinvestir ou contar como uma renda. O lado ruim é que você perde um pouco do efeito cumulativo dos juros compostos.

Dívida privada

Títulos privados são parecidos com os títulos públicos, mas o credor é uma instituição privada, e não o governo. Por isso, eles têm risco um pouco mais elevado, a depender da instituição credora. A liquidez também pode ser mais baixa. E por isso a rentabilidade deve ser maior do que a de um título público. Coloque o Triângulo de Nigro em prática para avaliar qual vale a pena.

Debêntures, CDBs, Letras de Crédito Imobiliárias (LCIs) e Letras de Crédito do Agronegócio (LCAs) são exemplos de títulos da dívida privados.

Debêntures: são títulos de dívida emitidos por empresas para captar recursos para investimentos em projetos, por exemplo. Têm vencimento mais longo, mas pagam juros semestrais ou anuais, o que pode ajudar a elevar a rentabilidade de sua carteira de investimentos. E nem todas têm risco elevado. Recomendo que você olhe a classificação de risco (*rating*) de cada uma antes de decidir investir em uma delas – isso está disponível no prospecto de emissão da debênture. Algumas delas são ligadas ao setor de infraestrutura e, neste caso, isentas de imposto de renda. Debêntures não são garantidas pelo Fundo Garantidor de Crédito (FGC).

CDB: ao comprar este certificado, você está emprestando dinheiro a um banco. O risco e a rentabilidade dependem do tamanho do banco. Existem CDBs prefixados e pós-fixados, neste caso rendendo um percentual do CDI. Eles também podem ter liquidez diária ou não. Este tipo de título pode ser uma alternativa ao Tesouro Direto nos vencimentos de curto e médio prazo (não há CDBs longos, de vinte anos, por exemplo), e uma das vantagens é não precisar pagar a taxa de administração de 0,3%, que pode significar bastante dinheiro em investimentos altos. Os CDBs de liquidez diária podem ser uma alternativa de alocação para seu fundo de emergência, e os de médio prazo são interessantes para aqueles planos que você tem para o fim do ano ou para daqui a dois anos, como uma viagem, uma festa de casamento ou a compra da casa própria.

LCIs e LCAs: emitidas por instituições financeiras públicas e privadas, as LCIs estão vinculadas a negócios imobiliários, e as LCAs a negócios na área rural. As duas são isentas de imposto de renda, e isso deve ser levado em consideração no momento em que você comparar rentabilidade, mas lembre-se de que a fatia do IR dos investimentos cai para 15% após dois anos. Por isso as LCIs e LCAs são mais atraentes no curto prazo, e menos no longo.

FGC: é o Fundo Garantidor de Crédito e foi criado em 1995. Ele é financiado por contribuições dos bancos e serve para proteger investidores e correntistas de calotes de instituições financeiras em algumas operações, em um valor total investido de até R$ 250 mil por CPF e por instituição financeira.

Ações

São investimentos de renda variável, então tenha em mente que você não tem nenhuma garantia de quanto vai ganhar. Isso quer dizer que você pode ganhar muito ou perder muito. Por isso, não são investimentos para você se estiver iniciando e ainda não tiver muito conhecimento. E também não é onde você deve manter o seu dinheiro do fundo de emergência. Mas investir em ações tende a ser vantajoso no longo prazo e pode ser uma alternativa muito interessante para seu fundo de liberdade financeira.

Além da variação do preço da ação, quem compra ações também pode aumentar seus rendimentos com o pagamento de dividendos ou juros sobre capital próprio (JSCP) que as empresas distribuem a seus acionistas. Os dois são formas que a empresa tem para remunerar os acionistas, e a diferença é a incidência de imposto de renda: dividendos são isentos de IR para o investidor, JSCP não. Idealmente, você pode reinvestir esse dinheiro em ações para continuar aumentando seu capital.

Há dois tipos de ações:

Ordinárias: dão direito a voto nas assembleias das empresas.

Preferenciais: têm prioridade no repasse de dividendos, mas não dão direito a voto.

Você também pode comprar uma ação nova sendo lançada em uma oferta pública inicial (*initial public offering*, ou IPO, em inglês). Mas o que eu recomendo é que, se você quer investir em ações, comece por um fundo. Os fundos de índices, por exemplo, te ajudam a diversificar seus investimentos em ações de forma mais fácil do que se você comprasse várias ações separadamente. Além disso, oferecem certa liquidez. Você pode deixar para investir em ações quando se sentir mais à vontade e perceber que consegue escolher as empresas em que vai colocar seu dinheiro.

Além do risco, os custos de operar com ações também são relativamente mais altos. Basicamente, você vai gastar dinheiro com:

corretagem: tem que ser paga todas as vezes que você comprar ou vender ações, e pode ser fixa ou proporcional ao volume de operações;

emolumentos: pagos por operação à B3 (Bolsa) e à CBLC (central responsável pela custódia e liquidação das ações);

custódia mensal: cobrada por algumas corretoras mensalmente quando você mantém um dinheiro investido;

imposto de renda: varia entre 15%, para *swing trade,* e 20%, para *day trade*, somente se as vendas mensais superarem R$ 20 mil.

Fundos imobiliários e imóveis

Os fundos de investimentos imobiliário (FII) permitem que você invista em imóveis sem precisar de todo o valor da compra e sem ter que tomar empréstimos. Ao mesmo tempo, permitem que você diversifique o investimento em vários ativos. Isso porque vários investidores compram cotas (ou pedaços) de fundos imobiliários, e os fundos investem em um prédio inteiro ou em vários imóveis. Você não fica com seu dinheiro parado em um só, e isso também aumenta a liquidez e facilita que você "saia" dele quando precisar ou quiser.

Os fundos imobiliários têm outras vantagens. Uma delas é o pagamento de dividendos. Outra é o imposto de renda: para pessoas físicas, não há incidência de imposto sobre os rendimentos mensais e os dividendos, somente sobre a compra e a venda de cotas dos fundos. Só para comparar, se você comprasse um imóvel, teria que pagar IR sobre a renda com aluguel.

Uma terceira vantagem é estar livre da burocracia (contratação de advogados, cartório, pagamento de IPTU, condomínio etc.) e contar com uma administração profissional que vai cuidar dos riscos e da gestão.

Quando for escolher um fundo imobiliário, você deve estar atento a algumas características:

taxa de vacância: é a relação entre o volume de imóveis disponíveis e o volume de imóveis existentes no fundo, ou seja, quantos estão gerando renda;

gestão de fundo: um bom gestor pode te render mais ganhos, então é bom saber se o gestor tem experiência e se os resultados que ele atingiu são positivos;

yield: é a relação entre o que o FII distribui e o preço da cota. Quanto maior, melhor. O yield pode vir da receita com aluguel dos imóveis ou da valorização das cotas, que é uma postura mais agressiva;

rentabilidade garantida: é uma garantia de determinado rendimento por um período. Fique atento: o fundo pode não estar gerando receita, mas queimando patrimônio para cumprir esse rendimento, o que vai comprometer o valor de mercado da cota;

taxas: o que é cobrado pelas partes envolvidas na transação;

onde o fundo aplica: o fundo em que você pretende investir aplica em imóveis ou em ativos, como Certificados de Recebíveis Imobiliários (CRIs)? E esses ativos têm qual classificação de risco (*rating*)? Isso indica se a carteira do fundo é boa ou não;

valor patrimonial: é o valor de um imóvel em mercado, não o quanto pagamos por ele. Você pode achar uma ótima oportunidade e comprar um apartamento que vale R$ 500 mil por R$ 400 mil. No caso dos fundos, o valor patrimonial é a soma de tudo que o fundo tem em imóveis, caixa (que está disponível para aquisição) e aplicações. Se você dividir isso pelo número de cotas do fundo, vai descobrir quanto cada cota deveria valer de acordo com o patrimônio;

cap rate: é a relação entre o valor do aluguel e o preço do imóvel. Ou entre a renda com aluguéis de uma carteira de imóveis e o valor desses bens. Usualmente, imóveis de valor mais baixo têm um *cap rate* mais alto.

Multimercados

A grande vantagem dos fundos de investimento é permitir que você invista em diversos ativos, mesmo que não tenha todo o dinheiro para comprar cada um individualmente. Basta que tenha os recursos da cota mínima para investir em ações, renda fixa, imóveis, entre outros. Além disso, uma equipe trabalha para melhorar a rentabilidade do fundo, o que te dá menos trabalho.

Mas você precisa escolher dentro de um mundo de fundos. Eu sugiro que, antes de qualquer coisa, você trace seus objetivos. Os fundos de emergência devem priorizar fundos de renda fixa ou multimercados com alta liquidez, que apresentam risco menor e permitem que você tenha acesso ao dinheiro a qualquer momento – ou em uma emergência, que é seu objetivo.

Os seus investimentos voltados para o médio e o longo prazos podem ser alocados em ativos de maior risco, que também oferecem maior rentabilidade, como os fundos de ações (renda variável).

Fique de olho em algumas variáveis na hora de escolher o fundo:

taxa de rendimento (média): ela nunca é boa se estiver abaixo do CDI;

taxa de administração: desconfie de taxas acima de 1% para fundos de renda fixa e acima de 2% para os fundos multimercado ou de ações;

taxa de performance: cobrada nos fundos de maior risco, o padrão de mercado é de 20%. Fique atento a taxas adicionais;

taxa de carregamento: incomum em fundos competitivos, por isso é bom analisar bem o fundo que cobrar isso;

saldo mínimo e de movimentação: é o valor mínimo que você pode investir em um fundo depois que for cotista dele. Se tiver R$ 1.000 por mês para investir, não adianta entrar em um fundo que exige movimentações mínimas de R$ 10 mil.

Criptomoedas

A criptomoeda é uma moeda digital, ou seja, uma moeda como o real ou o dólar, mas sem a forma física. Há várias opções de criptomoedas, mas o investimento neste ativo é exclusivamente especulativo. Quando compra uma criptomoeda, você não vai ter rendimentos, mas vai ganhar ou perder com a valorização e a desvalorização dela.

As operações com criptomoedas são registradas em espécies de livros-razão, chamados de *blockchains*. Cada moeda digital tem o seu *blockchain*, e os registros são feitos por mineradores. Esses mineradores ganham para registrar as ofertas. O investidor paga taxas para que eles registrem as transações e, quanto maior o pagamento, mais rápido eles o fazem. Também é possível que eles demorem ou sequer registrem as operações se as taxas que você pagar forem baixas. Para facilitar, você pode usar corretoras de criptomoedas. Mas elas também cobram taxas adicionais pelo serviço.

Eu gostaria de destacar que investir em criptomoedas exige alguns cuidados de segurança. Não é recomendável guardar suas moedas nas corretoras, que podem ser alvo de *hackers*. O melhor é guardar estes ativos em *wallets* (ou, em português, carteiras), que são digitais ou físicas.

Previdência

A previdência privada é uma ótima alternativa de investimento se você estiver planejando sua aposentadoria. Ela é demonizada no Brasil por culpa dos bancos, mas na realidade você precisa entender oito características específicas da previdência para compreender como ela funciona e qual é boa ou ruim.

PGBL X VGBL: a principal diferença neste quesito é tributária. O PGBL permite que você deduza até 12% da renda bruta que investir neste tipo de plano. Isso se você fizer a declaração de IR completa. O VGBL, por sua vez, não permite essa dedução anual. Mas, no longo prazo, ele é mais interessante, porque você só vai precisar pagar imposto sobre os valores auferidos, enquanto no PGBL você precisa pagar IR sobre todo o valor investido.

Tabela progressiva X regressiva: aqui a decisão também é determinada pelo imposto. Na tabela regressiva, você vai reduzir o montante de imposto que paga conforme o tempo pelo qual investir. Se você resgatar sua previdência um dia depois de investir, vai pagar uma alíquota de 35%. Mas, a cada dois anos, essa alíquota cai 5% e chega ao piso de 10% a partir de dez anos. Isso significa que esta é uma ótima opção para investimento de longo prazo. Na tabela progressiva, por sua vez, o valor se soma à renda na declaração de IR, podendo chegar a 27,5% dependendo do valor. Se pensar que a previdência é um investimento de longo prazo, você provavelmente terá muito dinheiro na aposentadoria, e não quer deixar quase um terço em imposto para o governo.

Taxa de administração: incide sobre o valor investido e é paga à instituição que faz a gestão do seu fundo de investimentos.

Taxa de carregamento: é uma taxa que você pode e deve evitar. Algumas gestoras cobram taxa de carregamento sobre contribuições para pagar despesas administrativas e colocação do plano. Mas a taxa de administração tem objetivo semelhante.

Taxa de rentabilidade: você deve sempre comparar a taxa de rentabilidade à de outros ativos, como a Selic ou o CDI, olhando cada decimal. Por exemplo: R$ 100 mil investidos por trinta anos atingem R$ 1,76 milhão a 0,8% ao mês. Mas, se rendessem 0,9%, o montante ao final seria de quase R$ 2,52 milhões.

Taxa de excedente financeiro: vamos supor que você invista R$ 600 mil e converta isso em renda vitalícia, para receber

R$ 3.500 por mês do banco durante toda a vida. O banco converte o seu investimento em patrimônio dele e investe para ter rentabilidade, pagar sua renda e obter lucro. Digamos que ele faça esses R$ 600 mil renderem R$ 5 mil ao mês. Se sua taxa de excedente for 0%, você não vai receber nada além da renda mensal. Se for 50%, você vai receber metade do excedente que o banco gerar, além do valor mensal compactuado.

Taxa de juros na conversão: é quanto você vai receber de juros a mais no momento em que converter seu patrimônio em renda para se aposentar. Nesta ocasião, você pode receber só os juros que estão em vigor ou um bônus.

Tábua atuarial: é a sua expectativa de vida no momento da contratação do plano. Quanto menor, melhor vai ser seu rendimento. Às vezes vale a pena abrir um plano de previdência só por abrir, para seu filho ou mesmo para você, se você ainda for bem jovem. E, lá na frente, você pode fazer uma simulação. Se os indicadores forem atraentes, transfira recursos para o fundo.

FAQ

1) Não entendo muito do mercado, devo começar a investir mesmo assim?

Deve! Todas as pessoas deveriam investir o seu dinheiro. Porém, a abordagem para quem está dando o primeiro passo deve ser diferente, dependendo do estágio da vida em que a pessoa se encontra.

Em resumo, os pontos iniciais para quem está começando são:

> quitar as dívidas;

> construir a reserva de emergência;

> e só depois pensar em diversificar o seu capital, focando no longo prazo.

Conforme você for atravessando essas etapas e for conciliando o aprendizado teórico com o prático, sua curva de evolução será muito mais efetiva.

2) Onde eu posso investir meu dinheiro?

Dê prioridade a instituições financeiras, como as corretoras de investimento. Apesar de ser possível investir via bancos, vários deles hoje oferecem número limitado de investimentos e cobram taxas maiores do que as corretoras. Corretoras como a Rico.com.vc podem ser um ponto de partida.

3) É seguro investir por plataformas digitais?

Sim. Pense como se você estivesse fazendo compras online. Há diversos produtos na prateleira (no caso das corretoras: CDBs, fundos de investimento, ações etc.), e você pode adicionar esses ativos ao seu portfólio.

Em vez de receber seu produto em casa, você vai ter a sua ordem de compra registrada na B3 e vai poder controlar toda a movimentação dos seus ativos por meio da sua corretora.

É claro que existem plataformas de investimento com maior estrutura e maior confiabilidade que outras, da mesma maneira que há lojas mais confiáveis que outras. Por isso, sempre procure instituições grandes e legalizadas.

4) E se o meu banco/corretora quebrar?

Como os seus ativos ficam vinculados ao seu CPF, mesmo se o seu banco/corretora quebrar, todos os seus ativos ainda estarão cadastrados como seus na B3 (a instituição que rege a Bolsa de Valores no Brasil).

Dessa forma, você pode solicitar uma transferência de custódia dos seus ativos de uma instituição financeira para outra quando quiser.

5) Existe valor mínimo para começar a investir?

Sim, porém esse valor é muito menor do que as pessoas imaginam.

O valor mínimo para aplicar na maioria dos CDBs é R$ 1.000. Por cerca de R$ 100, você pode comprar uma cota de um título do Tesouro Direto ou até mesmo uma cota na maioria dos fundos imobiliários.

Falando em ações, é possível comprar uma cota de um lote fracionado de excelentes empresas por menos de R$ 10.

Vale lembrar que o valor da cota de cada ativo vai variar de acordo com a precificação do mercado.

6) Tenho obrigação de investir todos os meses? Não. Nenhum investimento nas corretoras te obriga a investir todos os meses. Você pode investir quando quiser, de acordo com seus recursos

disponíveis. Apenas atente para o fato de que alguns investimentos exigem um valor mínimo de aporte inicial.

7) Quanto devo deixar na reserva de emergência?
Doze vezes o seu custo de vida mensal.

8) O que devo considerar nas características da reserva?
A reserva de emergência é para ter 3 características fundamentais: ter liquidez, ou seja, a capacidade de transformar rapidamente o investimento em dinheiro. Logo, investimentos cujo resgate possa ser feito no mesmo dia ou um dia útil após o pedido de resgate são os ideais. A reserva também deve oferecer segurança. É desejável que a rentabilidade seja pelo menos maior que a poupança, mas não é o tipo de investimento que serve para render.

9) Quais opções de investimento eu tenho para reserva de emergência?
Tesouro Selic, fundos DI de renda fixa com liquidez diária e CDBs de liquidez diária.

10) Qual delas é a melhor?
Não há um "ganhador" aqui. O que posso dizer apenas é que há ganhos de liquidez principalmente nos fundos DI, nos CDBs, já que o resgate pode acontecer no mesmo dia da solicitação (no caso do Tesouro Selic, isso só acontece em um dia útil).

11) Posso considerar o Tesouro IPCA ou o Prefixado como reserva de emergência?
Não. Ambos os títulos sofrem de uma coisa que chamamos de "marcação a mercado". Basicamente, em casos de resgate antecipado do título, ele pode sofrer oscilações de preço. Com essas oscilações, você pode sair do título com um ganho acima do esperado ou com prejuízo (depende do mercado).

Por conta dessa oscilação, ambos os títulos não são recomendados como reserva, já que você corre um risco de mercado aqui. Dentro da plataforma do tesouro, o indicado é o Tesouro Selic.

12) Posso considerar o FGTS como reserva de emergência?
Não. Resgate de FGTS é condicionado, não dá para sacar a qualquer hora. Por conta disso, ele não atinge a suficiência de liquidez necessária para uma reserva de emergência.

13) O que é diversificação?
Diversificar é criar uma carteira de investimentos com ativos diferentes e não correlacionados, ou seja, que não sofrem influência um do outro e não estão no mesmo "setor". Dessa forma, você diminui o risco da sua carteira como um todo, pois o risco está em variáveis diferentes.

14) Faz sentido diversificar a reserva de emergência?
Sim. Já houve problemas de resgate no Tesouro Direto, e pode haver em outros ativos. Por isso, faz sentido você ter mais de um investimento dentro do que você considera sua reserva de emergência.

15) Preciso pagar imposto de renda nos meus investimentos?
Depende do investimento. Geralmente, nos investimentos em renda fixa, você paga imposto de renda na fonte e, por isso, não precisa recolher, pois já é pago na retirada.

Porém, vale a pena salientar que o imposto de renda na bolsa de valores é responsabilidade do investidor, e, em alguns casos, é necessário que o investidor emita e pague um documento chamado DARF.

16) Tenho um financiamento e não tenho fundo de emergência. Devo investir ou quitar as parcelas?
Os dois. Minha sugestão é sempre focar na quitação das suas parcelas (se possível, amortizando os valores), mas também destinar de 10 a 20% do dinheiro que "sobra" para investir na sua reserva de emergência.

17) Já tenho investimentos, mas não possuo reserva de emergência. Faço o resgate dos meus investimentos para fazer a reserva?

Não há uma resposta certa, mas o preferencial é que você foque na construção da sua reserva. Por isso, independentemente do resgate, concentre os seus próximos aportes na construção da sua reserva.

18) Como faço pra investir na bolsa de valores?

Por meio de corretoras, você tem o acesso aos chamados *home brokers*, que permitem que você invista na bolsa de valores.

19) Caixa e reserva de emergência são a mesma coisa?

Não. Apesar de poderem compartilhar o mesmo investimento, conceitualmente são coisas diferentes. Caixa é reserva para oportunidade, e reserva de emergência é, bem, para emergências.

Observação: como compartilhar ambas no mesmo investimento? Fácil. Saiba exatamente o valor que se destina à sua reserva de emergência, e tudo o que exceder esse valor no investimento se torna o seu caixa.

20) Por quanto tempo devo deixar o dinheiro investido?

Esta é uma pergunta delicada, pois depende da mentalidade do investidor.

Aquele que pensa no longo prazo não pensa na hora do resgate, mas na qualidade de vida que terá, que só pode ser alcançada graças a seus aportes constantes.

Porém, além dos prazos até que o dinheiro caia na sua conta, não há mais nada que o impeça de liquidar os seus investimentos a qualquer momento.

Vale lembrar que podem ocorrer taxas e/ou aumento na alíquota de imposto, dependendo do tipo de aplicação.

Supergráficos

as próximas páginas, você vai encontrar diversos gráficos que mostram o desempenho histórico de algumas referências do mercado financeiro. São gráficos dos índices das bolsas do Brasil e dos Estados Unidos e das ações com o melhor desempenho na última década, moedas como o real e o euro em relação ao dólar, inflação, Produto Interno Bruto (PIB), taxa de juros, rendimento da poupança, petróleo e ouro.

Eles servem para te mostrar como qualquer ativo tem períodos de baixa e alta, mas constrói uma trajetória ao longo do tempo. São algumas referências.

No caso do gráfico do dólar em relação ao real, usei a taxa PTAX, que é a média das taxas cobradas entre as transações dos bancos e calculada pelo Banco Central. Ela é diferente do dólar comercial, que é a taxa usada nas transações de comércio exterior (importação e exportação) e também diferente do dólar turismo, que é o valor de compra e venda de moeda em espécie. Mas a PTAX é uma referência para a cotação da moeda brasileira.

188 · 189

quanto eu tenho que investir mensalmente para conseguir esse salário mensal

Quanto eu tenho que ter acumulado para conseguir retirar mensalmente um valor fixo

TAXA DE 4% A.A	
Salário mensal	Total acumulado
R$ 2.000	R$ 610.922,11
R$ 5.000	R$ 1.527.305,26
R$ 10.000	R$ 3.054.610,53
R$ 20.000	R$ 6.109.221,05
R$ 50.000	R$ 15.273.052,63
R$ 100.000	R$ 30.546.105,27
R$ 200.000	R$ 61.092.210,53

TAXA DE 5% A.A								
Salário mensal	5 anos	10 anos	15 anos	20 anos	25 anos	30 anos	40 anos	50 anos
R$ 2.000	R$ 9.008,83	R$ 3.957,69	R$ 2.306,89	R$ 1.505,46	R$ 1.043,00	R$ 749,25	R$ 412,08	R$ 237,78
R$ 5.000	R$ 22.522,06	R$ 9.894,23	R$ 5.767,23	R$ 3.763,65	R$ 2.607,50	R$ 1.873,13	R$ 1.030,21	R$ 594,46
R$ 10.000	R$ 45.044,13	R$ 19.788,47	R$ 11.534,47	R$ 7.527,30	R$ 5.215,01	R$ 3.746,26	R$ 2.060,41	R$ 1.188,92
R$ 20.000	R$ 90.088,25	R$ 39.576,94	R$ 23.068,93	R$ 15.054,59	R$ 10.430,02	R$ 7.492,52	R$ 4.120,82	R$ 2.377,83
R$ 50.000	R$ 225.220,63	R$ 98.942,34	R$ 57.672,33	R$ 37.636,48	R$ 26.075,04	R$ 18.731,30	R$ 10.302,06	R$ 5.944,58
R$ 100.000	R$ 450.441,26	R$ 197.884,68	R$ 115.344,67	R$ 75.272,96	R$ 52.150,09	R$ 37.462,60	R$ 20.604,11	R$ 11.889,16
R$ 200.000	R$ 900.882,51	R$ 395.769,37	R$ 230.689,34	R$ 150.545,92	R$ 104.300,17	R$ 74.925,21	R$ 41.208,23	R$ 23.778,32

TAXA DE 10% A.A								
Salário mensal	5 anos	10 anos	15 anos	20 anos	25 anos	30 anos	40 anos	50 anos
R$ 2.000	R$ 7.979,52	R$ 3.056,69	R$ 1.533,27	R$ 850,56	R$ 495,35	R$ 296,16	R$ 110,07	R$ 41,86
R$ 5.000	R$ 19.948,81	R$ 7.641,73	R$ 3.833,17	R$ 2.126,40	R$ 1.238,36	R$ 740,39	R$ 275,17	R$ 104,64
R$ 10.000	R$ 39.897,62	R$ 15.283,46	R$ 7.666,35	R$ 4.252,80	R$ 2.476,73	R$ 1.480,78	R$ 550,35	R$ 209,28
R$ 20.000	R$ 79.795,23	R$ 30.566,91	R$ 15.332,70	R$ 8.505,59	R$ 4.953,46	R$ 2.961,55	R$ 1.100,69	R$ 418,55
R$ 50.000	R$ 199.488,08	R$ 76.417,28	R$ 38.331,74	R$ 21.263,98	R$ 12.383,64	R$ 7.403,88	R$ 2.751,73	R$ 1.046,38
R$ 100.000	R$ 398.976,16	R$ 152.834,56	R$ 76.663,49	R$ 42.527,97	R$ 24.767,28	R$ 14.807,77	R$ 5.503,46	R$ 2.092,77
R$ 200.000	R$ 797.952,31	R$ 305.669,13	R$ 153.326,98	R$ 85.055,94	R$ 49.534,56	R$ 29.615,54	R$ 11.006,92	R$ 4.185,53

TAXA DE 12% A.A								
Salário mensal	5 anos	10 anos	15 anos	20 anos	25 anos	30 anos	40 anos	50 anos
R$ 2.000	R$ 7.604,09	R$ 2.752,77	R$ 1.295,81	R$ 670,45	R$ 362,31	R$ 200,17	R$ 62,98	R$ 20,13
R$ 5.000	R$ 19.010,22	R$ 6.881,92	R$ 3.239,54	R$ 1.676,13	R$ 905,76	R$ 500,43	R$ 157,44	R$ 50,32
R$ 10.000	R$ 38.020,44	R$ 13.763,84	R$ 6.479,07	R$ 3.352,25	R$ 1.811,53	R$ 1.000,85	R$ 314,88	R$ 100,64
R$ 20.000	R$ 76.040,88	R$ 27.527,69	R$ 12.958,15	R$ 6.704,51	R$ 3.623,06	R$ 2.001,70	R$ 629,75	R$ 201,28
R$ 50.000	R$ 190.102,20	R$ 68.819,22	R$ 32.395,37	R$ 16.761,27	R$ 9.057,64	R$ 5.004,25	R$ 1.574,38	R$ 503,20
R$ 100.000	R$ 380.204,41	R$ 137.638,44	R$ 64.790,75	R$ 33.522,54	R$ 18.115,28	R$ 10.008,51	R$ 3.148,75	R$ 1.006,40
R$ 200.000	R$ 760.408,81	R$ 275.276,89	R$ 129.581,49	R$ 67.045,07	R$ 36.230,56	R$ 20.017,02	R$ 6.297,50	R$ 2.012,80

Dólar PTAX

Cotação PTAX de venda do dólar em relação à moeda brasileira, calculada pelo Banco Central – mensal, de dezembro/1995 a setembro/2020.

Utilizamos o preço do dólar PTAX venda. Fonte: Economatica.

Euro

Cotação da moeda europeia em relação à cotação dólar PTAX – mensal, de dezembro/1998 a setembro/2020.

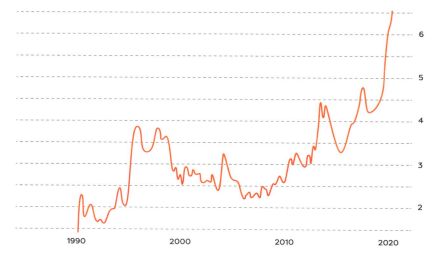

Utilizamos o preço do euro em comparação ao dólar PTAX. Fonte: Economatica.

Taxa de juros no Brasil

Variação anual (252 dias úteis) da taxa Selic, definida pelo Banco Central.

Para compor o gráfico, utilizamos a variação da taxa Selic anual (252 dias úteis). Fonte: Economatica.

Índice Dow Jones Industrial Average

Principal índice da bolsa de valores dos Estados Unidos, composto por 30 ações – mensal, de dezembro/1995 a setembro/2020.

Todos os índices foram colocados no gráfico considerando o seu próprio sistema de pontos. Fonte: Economatica.

IBOVESPA
Principal índice da bolsa de valores de São Paulo – mensal, de janeiro/1996 a setembro/2020.

Todos os índices foram colocados no gráfico considerando o seu próprio sistema de pontos. Fonte: Economatica.

Índice S&P 500
Indicador da bolsa de valores dos Estados Unidos, composto pelas 500 maiores empresas do país – mensal, de dezembro/1995 a setembro/2020.

Todos os índices foram colocados no gráfico considerando o seu próprio sistema de pontos. Fonte: Economatica.

IPCA

Principal indicador de inflação brasileiro, usado como referência – mensal, de outubro/1995 a julho/2020.

Utilizamos o valor acumulado do IPCA nos últimos 12 meses para compor o gráfico. Fonte: Economatica.

Petróleo cru WTI

Contratos futuros de barril de petróleo, usados como referência ao redor do mundo – semanal, de 17/04/2009 a 04/09/2020.

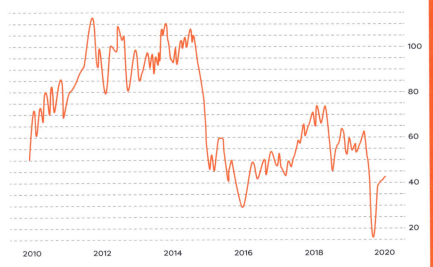

Utilizamos o preço do barril em dólar para compor o gráfico. Fonte: Economatica.

PIB do Brasil

O Produto Interno Bruto representa o total de bens e serviços produzidos pela economia brasileira (variação real) – trimestral, do 1º trimestre/1996 ao 2º trimestre/2020.

Produto Interno Bruto (PIB) a preços básicos:
variação real trimestral sobre mesmo trimestre do ano anterior.
Frequência: trimestral de 1996 T1 até 2020 T2.
Fonte: Instituto Brasileiro de Geografia e Estatística, Sistema de Contas Nacionais Trimestrais (IBGE/SCN Trimestral).
Atualizado em: 01/09/2020.
Para compor o gráfico, utilizamos a variação do PIB real trimestral.

PIB dos Estados Unidos

O Produto Interno Bruto representa o total de bens e serviços produzidos pela economia americana (variação real) – trimestral, do 1º trimestre/1990 ao 2º trimestre/2020.

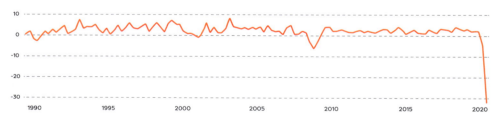

Estados Unidos – Produto Interno Bruto (PIB):
variação real trimestral anualizada.
Frequência: trimestral de 1990 T2 até 2020 T2 – País: Estados Unidos.
Fonte: *The Economist*.
Unidade: (% a.a.). Atualizado em: 01/09/2020.
Para compor o gráfico, utilizamos a variação do PIB real trimestral.

Poupança mensal

Taxa real de retorno mensal da poupança na nova composição – semanal, de 08/06/2012 a 02/10/2020.

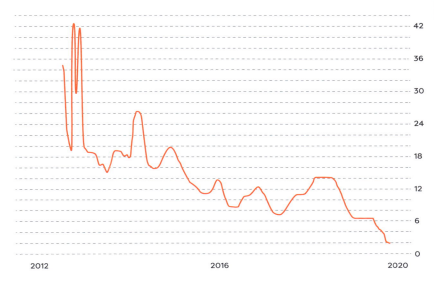

Para compor o gráfico, utilizamos a taxa mensal da poupança nova (vigente a partir de 2012).

Ouro

Cotação do ouro na bolsa brasileira – mensal, de dezembro/1995 a setembro/2020.

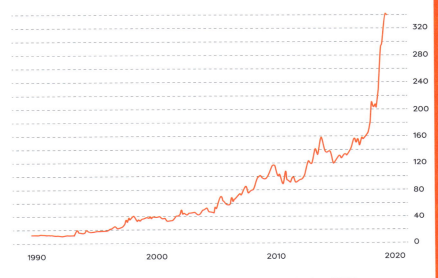

Para compor o gráfico, utilizamos o preço do ouro na bolsa de valores (OZ1D).

Nome	Classe	Código	Retorno do fechamento de 31/12/2009 até 01/09/2020. Em moeda original ajustada por proventos.
Comgas	PNA	CGAS5	1.827,19
Dimed	PN	PNVL4	1.547,09
Weg	ON	WEGE3	1.469,10
Alpargatas	PN	ALPA4	1.416,76
RaiaDrogasil	ON	RADL3	1.235,47
Equatorial	ON	EQTL3	1.225,17
Sanepar	PN	SAPR4	1.180,50
Trevisa	PN	LUXM4	1.020,26
Localiza	ON	RENT3	991,29
Irani	PN	RANI4	941,12

Gráficos extras para a autoanálise das finanças pessoais e dos investimentos

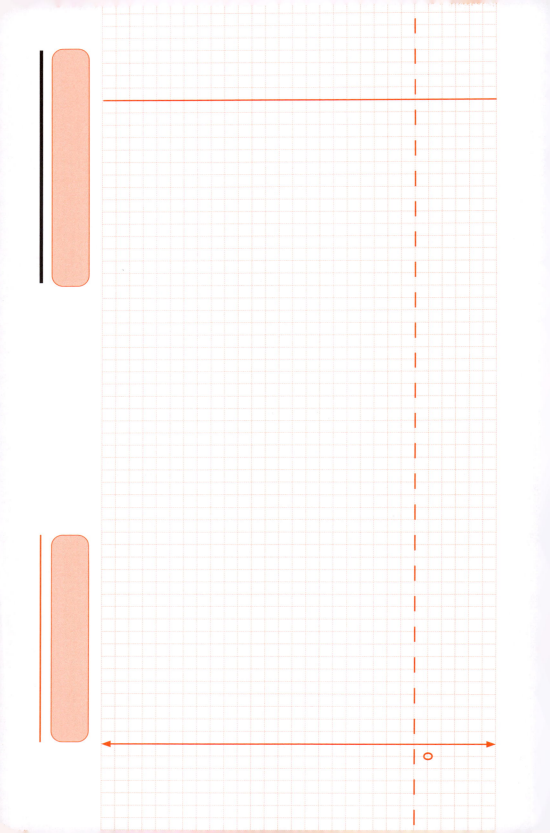

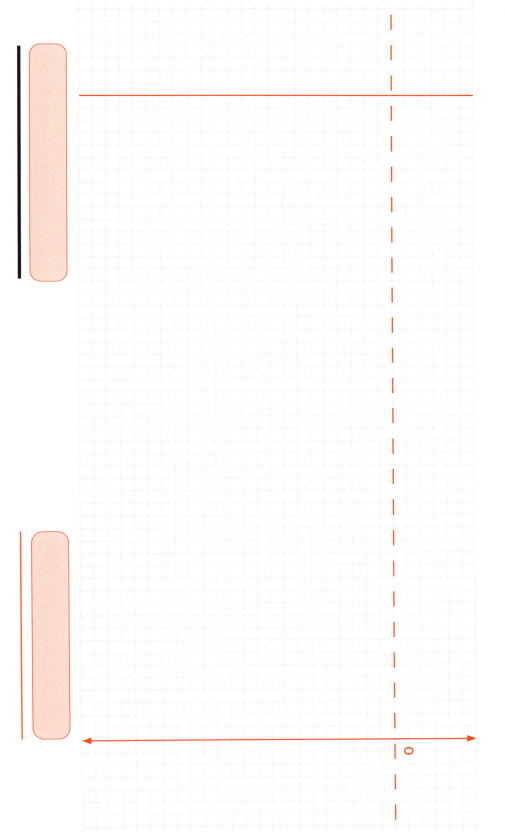

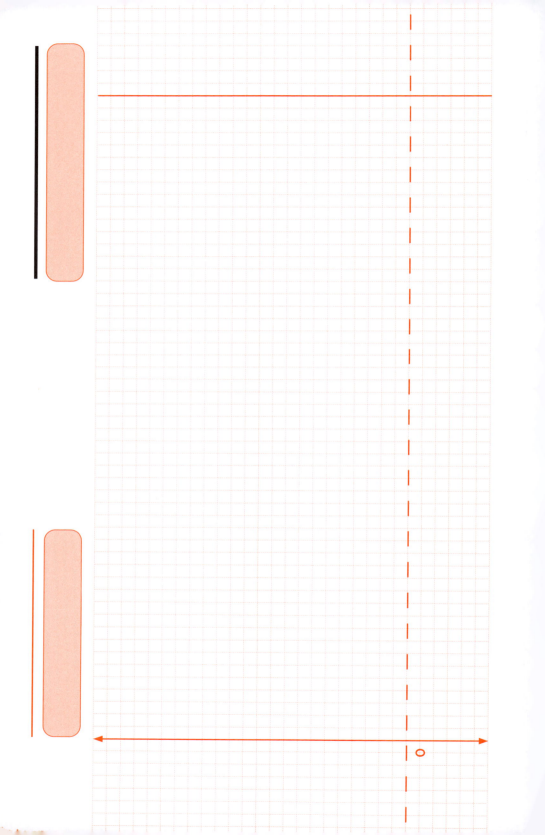

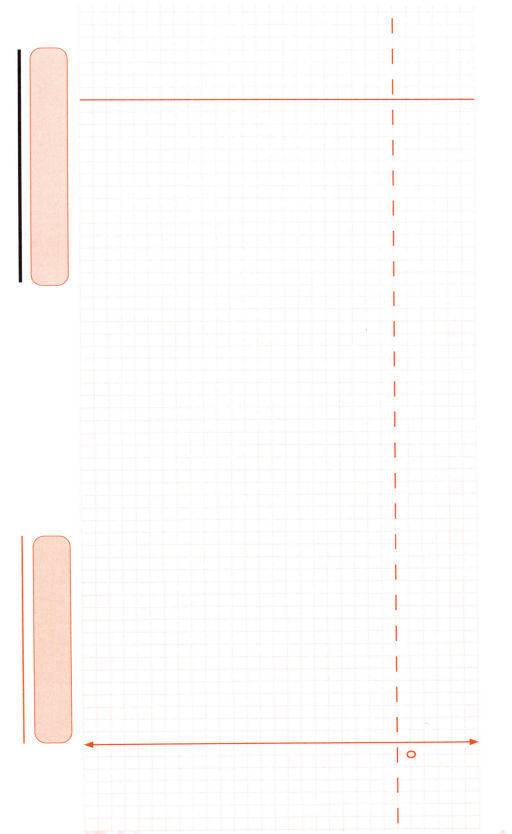

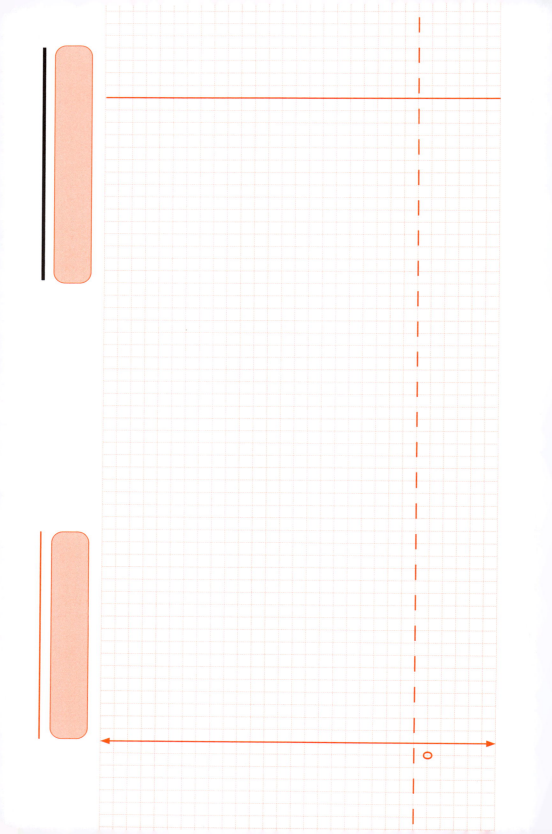

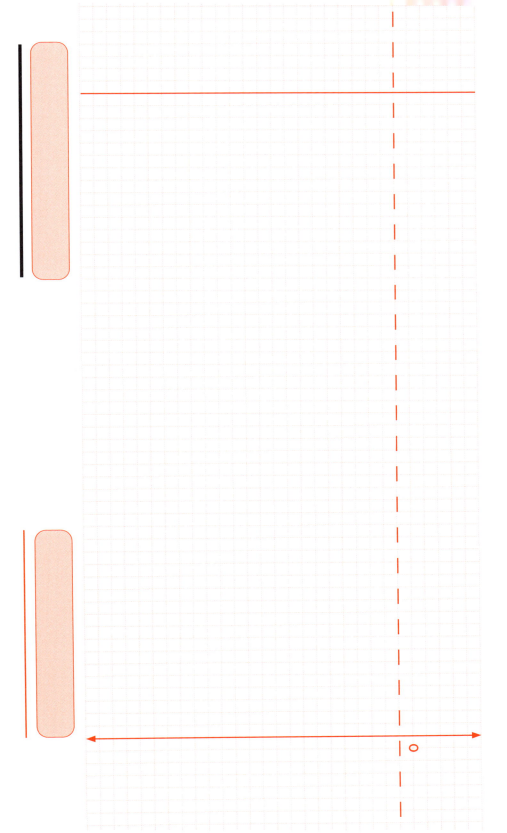

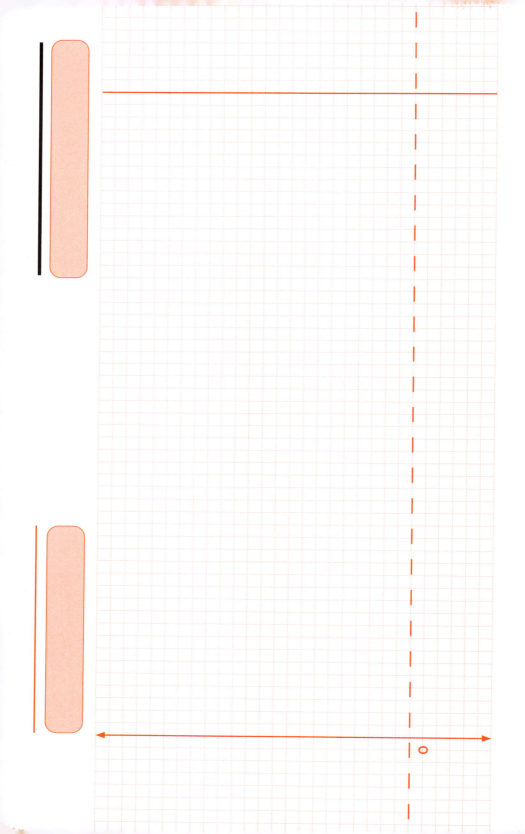

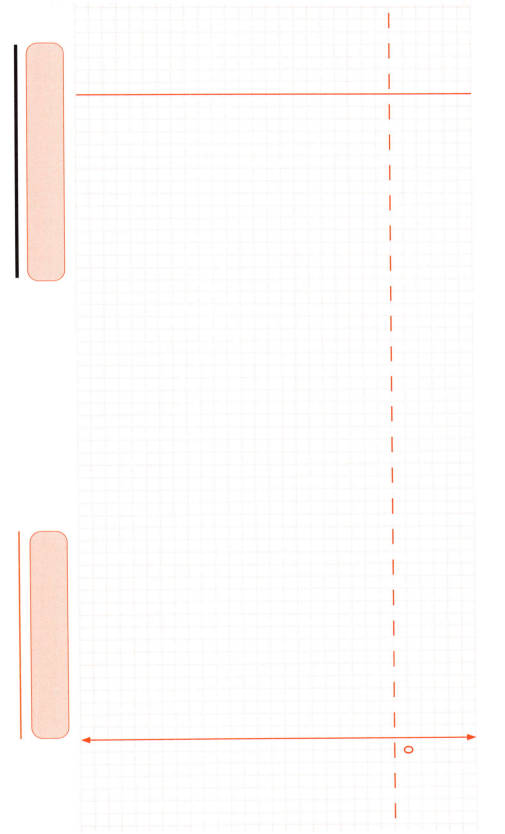

Copyright © 2020 por Thiago Nigro
Todos os direitos desta publicação são reservados
à Casa dos Livros Editora LTDA.
Nenhuma parte desta obra pode ser apropriada e
estocada em sistema de banco de dados ou processo
similar, em qualquer forma ou meio, seja eletrônico,
de fotocópia, gravação etc., sem a permissão dos
detentores do copyright.

Diretora editorial: Raquel Cozer
Gerente editorial: Renata Sturm
Editora: Diana Szylit
Edição de texto: Heloísa Canassa
Copidesque: Bonie Santos
Revisão: Laila Guilherme e Luciana Baraldi
Capa, projeto gráfico e diagramação: Anderson Junqueira
Designer assistente: Mayara Menezes

Dados Internacionais de Catalogação na Publicação (CIP)
Angélica Ilacqua CRB-8/7057

N593m
Nigro, Thiago
  Método financeiro do Primo Rico / Thiago Nigro.
Rio de Janeiro: HarperCollins, 2020.
  208 p. : il.

ISBN 978-65-9508-705-7

1. Finanças pessoais 2. Desenvolvimento pessoal
3. Sucesso I. Título.

20-3234	CDD 332.024
	CDU 330.567.2

Os pontos de vista desta obra são de
responsabilidade de seu autor, não refletindo
necessariamente a posição da HarperCollins Brasil, da
HarperCollins Publishers ou de sua equipe editorial.

Rua da Quitanda, 86, sala 218 — Centro
Rio de Janeiro, RJ — CEP 20091-005
Tel.: (21) 3175-1030
www.harpercollins.com.br

Este livro foi impresso pela Geografica, em 2023, para a
HarperCollins Brasil. O papel do miolo é offset 90g/m², e o
da capa é offset 180g/m².